Vivir adrede

Mario Benedetti

Vivir adrede

D. R. © Mario Benedetti, 2007
D. R. © De esta edición:
Santillana Ediciones Generales, S. A. de C. V., 2008
Av. Universidad 767, Col. del Valle
México, 03100, D. F. Teléfono 5420 7530
www.alfaguara.com.mx

D. R. © Cubierta: Jesús Acevedo
D. R. © Diseño: Enric Satué

ISBN: 978-970-58-0388-8

Primera edición en México: mayo de 2008

Impreso en México

A mi hermano Raúl
y a Mercedes, ahijada de Luz,
que me dieron entrañable sostén
en días muy dolorosos.

Vivir

1. Color del mundo

Millones y millones. En todas las monedas. Eso es lo que nos cuesta averiguar si hay seres vivientes (Adanes y Evas, serpientes o gorilas, árboles o praderas) en planetas de roca o quién sabe de qué, en tanto que en este planetito con vida miles de niños mueren de hambre civilizada.

Los sentimientos se deslizan, a veces se refugian en guaridas de amor, pero cuando emergen al aire preso o libre, dan el color del mundo, no del universo inalcanzable sino del mundo chico, el contorno privado en que nos revolvemos. Gracias a ellos, a los sentimientos, tomamos conciencia de que no somos otros, sino nosotros mismos. Los sentimientos nos otorgan nombre, y con ese nombre somos lo que somos.

2. El miedo

No se juega con el miedo porque el miedo puede ser un arma de defensa propia, una forma inocente o culpable de coraje. El miedo nos abre los ojos y nos cierra los puños y nos mete en el riesgo desaprensivamente. Andamos por el mundo con el miedo a cuestas como si fuera un pudor obligatorio o en su defecto una variante del fracaso. Tal vez sea el mandamiento o quizás el mandamiedos de alguna desconocida ley, de un dios cualquiera. Por las dudas, una buena fórmula contra el miedo puede ser la que dejó escrita el bueno de Pessoa: «Espera lo mejor y prepárate para lo peor».

3. Escépticos y optimistas

Los escépticos y los optimistas se miran siempre de reojo.

Son desconfiados de nacimiento.

Los escépticos se burlan de los demás y de sí mismos. Se aburren de creer y no echan de menos las ausencias.

Los optimistas vencen al tedio y a la fiebre. Aprenden del ayer y no lo borran. Conocen y reconocen que vendrá algo mejor y desde ya preparan la bienvenida.

Los escépticos van y vienen sin nada. Y lo que es peor, sin nadie. Abrazan al pesimismo como único consuelo. Inventan una tristeza sin lágrimas, dura como una mueca.

Los optimistas se entienden con el río y con el cielo que lleva en su corriente. Saben que allí navega la tutela más leal, más respetable, y asumen el alma como agua.

Los escépticos son apenas mendigos, y el tiempo que transcurre les deja su limosna. No logran escapar del viejo laberinto y reciben mensajes que son indescifrables.

Los optimistas en cambio guardan a menudo algo de gloria, que no es siempre la de hoy ni la de antes. Hacen un nudo con las certidumbres y llenan su bolsillo de poesía.

4. Vaivenes

Cada existencia tiene sus vaivenes, que es como decir sus pormenores. El tiempo es como el viento, empuja y genera cambios. De pronto nos sentimos prisioneros de una circunstancia que no buscamos sino que nos buscó. Y para liberarnos de esa gayola es imprescindible pensar y sentir hacia adentro, con una suerte de taladro llamado meditación. De pormenor en pormenor vamos descubriendo el exterior y la intimidad, digamos el milímetro de universo que nos tocó en suerte. Y sólo entonces, cuando encontramos al muchacho o al vejestorio que lleva nuestro nombre, sólo entonces los pormenores suelen convertirse en pormayores.

5. Artilugios

Hay un modo mecánico de entender la vida, un estilo sin escándalos ni hurras, sin el desabrigo de las tinieblas ni el acompañamiento de las melodías. No sirve ser vagabundo, ni gozar con las primicias de la soledad, tal vez porque el cuerpo se vuelve un artefacto y no importan vergüenzas ni utopías. Cada jornada reclama su accesorio, cada crepúsculo es un artilugio, cada relámpago una chispa suelta. En el modo mecánico de entender la vida, hay que adquirir una garlopa sin perdón, una sierra de angustia, un buril de rabieta. Ah, pero cuidado con desanimarnos si algún tonto nos dice que nos falta un tornillo.

6. Digitales

Llevamos nuestro nombre en la cédula de identidad y otros documentos, pero es bien sabido que todos pueden ser falsificados. La verdad es que el nombre verdadero, insustituible, único, lo llevamos en los dedos, en particular en los pulgares. Cuando cometemos un presunto delito o queremos huir del poder omnímodo o dictatorial, nuestras huellas digitales son las que nos traicionan, las que permiten que nos identifiquen, las que nos llevan al encierro y a veces a la tortura. ¡Cómo quisiéramos tomarles las huellas a los que manejan la picana o nos revientan los huevos! La toma de las huellas (las dactilares, no las de las pisadas) debería ser una clave de ida y vuelta, no sólo un intercambio para la injusticia sino también una fluctuación de la justicia. La historia misma se llenó de esas huellas reveladoras, pero sólo sirvieron hasta que los dedos se volvieron huesos. En las exequias y otros lutos, los muertos se mueren otra vez pero de risa, sólo porque comparan los huesos con los huesos, y con humor proclaman que son todos iguales. Es el socialismo de los esqueletos.

7. Fotografías

Las fotografías del antaño lejano y del antaño cercano nos miran y no se cansan de mirarnos, siempre con la misma pregunta: «¿Y qué pasó después?». A veces les respondemos pero la respuesta no les llega. Están aislados, inmóviles, sordos los pobres. Hay fotos que nos dejan amor, afectos, lealtades, simpatía, y no las podemos olvidar. Otras que nos dejan odios, enconos, fobias, desdenes; tampoco las podemos olvidar. A las primeras las encuadramos; a las segundas, las archivamos con otros desperdicios.

Hay poses de familia que son una síntesis de tiempo, pero también hay instantáneas que son apenas el pellizco de un pasado minúsculo. También nosotros, móviles y vivientes, vamos de a poco metiéndonos en fotos, y en ellas (por ahora) nos miramos a nosotros mismos. Pero los habitantes del 2008 o el 2009 mirarán nuestros rostros fotografiados y desde ellos les preguntaremos: «¿Qué pasó después?». Qué cosa, ¿no?

8. Utopías

Lo imposible es una burla de los dioses. Fue por eso que éstos desaparecieron. No fueron capaces de nadar en ese río, nadar en la nada. Todos venimos al mundo con la obsesión de un imposible. Y cuando tomamos conciencia de que el imposible es eso: un imposible, ya es tarde para refugiarnos en la sensatez.

Todos queremos lo que no se puede, somos fanáticos de lo prohibido. Algunos lo llaman utopía, pero la utopía es más seductora. No tiene puertas cerradas como lo imposible. No nos desprecia como lo prohibido. La utopía tiene la gracia de los mitos, la maravilla de las quimeras. Si tenemos ánimo, paciencia y un poco de ilusión, podemos navegar en la barcaza de la utopía, pero no en el acorazado de lo imposible.

Lo prohibido es un desafío que casi siempre nos derrota. La única posibilidad de vencerlo es llevarle la contra a los pontífices, que siempre han sido los jefes de lo prohibido. También lo son los dictadores, pero los pontífices al menos no torturan.

A veces lo imposible lo llevamos en el ánimo, y éste no es capaz de dar el salto sobre lo prohibido. Y si como excepción alguien se anima a dar el salto, se encontrará con que lo prohibido es un abismo. Y entonces chau.

9. Sobre sencillez

La sencillez es una de las virtudes más complicadas de este viejo mundo. Cuando uno es sencillo (en su habla, en sus actos, incluso en su poesía) corre el incómodo riesgo de ser tomado por tonto, por babieca. Hay críticos, por ejemplo, que son propensos a elogiar solamente a aquellos poetas misteriosos, cuyas obras son comprendidas por muy pocos. Esos mismos críticos tampoco los entienden, claro, pero tienen cierta habilidad para cabalgar por fuera del misterio, haciendo de su ignorancia una forma inédita de discreción.

Si uno lee a Baldomero Fernández Moreno o a Antonio Machado, y capta la sabiduría de su sencillez, quisiera salir a abrazarlos, como si aún estuvieran ahí, con su pluma en ristre. Cómo enseñan, cómo abren sin prejuicios las puertas de su vida y nos regalan las llaves para que abramos la nuestra.

Todo mandante, ya sea el mandamás como el mandamenos, se afana (sobre todo cuando afana) en no ser sencillo. La dificultad es su muro de contención, su bastión, su blindaje. En la sencillez, los hombres y mujeres se amparan, se comprenden, se alivian. En la complejidad, en cambio, se ven con desconfianza y con rencores. Cómo no tener en cuenta que la muerte es la cumbre de la sencillez.

10. Pérdidas

El pasado es una colección de silencios, pero hay partículas calladas, irrecuperables provincias de mutismo, albas y crepúsculos que quedaron ocultos, más allá de ese horizonte tan poco hospitalario; tallos que nunca más se expandirán en rosas, oscuras golondrinas que se aclararán en uno que otro vuelo.

Lo perdido tuvo color pero ahora es incoloro. Los latidos del gastado corazón invaden nuestra noche, pero el insomnio actual tiene otra partitura. Lo perdido es también un par o dos de labios que probaron el sabor de los míos, y que ahora tan sólo puedo besar en mi memoria.

Lo perdido es la luna redonda que yo hacía ovalada en mi retina y el firmamento con estrellas que ahora es apenas un cielo raso azul.

Todo se va borrando, todo pasa a ser sombra y vacío. Y el obligado acabose no nos ayuda a hallarlo.

11. Antorchas

Los años corren, simulan que se detienen y vuelven a correr, pero siempre hay alguien que en medio de la oscura perspectiva alza una antorcha que nos obliga a ver el lado íntimo de las horas. Esa tea reveladora sabe apreciar la belleza de lo feo, el pudor de lo impúdico, la ausencia de algún dios, el edén de los lagos.

La antorcha puede ser una idea, pero también una primicia. Una palabra, pero también una tregua, una quietud. Su llama nos llama sin poner condiciones. Con ella nos acercamos a los árboles desnudos, iluminamos a los pelícanos acuáticos, con su lomo bermejo y sus patas palmeadas, y también a las palomas mensajeras, que hacen un alto en lo más alto de las abadías.

La antorcha alumbra sin remordimientos, porque es pura, está sola y es la disculpa del invierno. También es el estupor de los niños: los fascina y persuade más que la chispa eléctrica. Todos tenemos una antorcha propia, y cada una es distinta de las otras. Con ella se puede llegar al río, aun después del crepúsculo.

La antorcha sólo tiene un enemigo, y es la lluvia del cielo.

12. Todas son mías

Yo soy un ganapán de las ciudades. Con sus glorias y sus congojas, las calles me reciben sin ninguna exigencia. Me ofrecen sus esquinas, sus ventanas, sus puertas. Piso las baldosas y los adoquines y reconozco un aire de familia. Recuerdo que bajo la ducha de un noveno piso de un hotel de Copenhague distinguí los tejados y los faroles y una plaza que me recordó otra de Helsinki. Todas son mías. Está la calle de Milán que me transportó a Buenos Aires, digamos a Rivadavia y Talcahuano. Todas son mías.

A veces repaso el campo pero de lejos, y echo de menos las torres, los templos, las estatuas. Entonces me doy vuelta y la ciudad me recibe como a uno de los suyos. No importa si es Praga o Amsterdam o Barcelona. Todas son mías. Camino despacito, reconociendo lo desconocido y juego con los rostros, que por supuesto son ciudadanos. El intercambio es recíproco y yo recibo y doy.

Estas paredes no son las mismas que las de allá, pero las toco como si lo fueran. Hay una evocación alucinada de algo que me pertenece y sin embargo no es mío. Calles y más calles. Esto es ciudad, y punto. Avenidas y arterias que vienen del pasado y quién sabe hasta dónde llegarán. Distritos o parroquias, suburbios o arrabales, las ciudades intercambian su norte y hasta esconden el sur.

A ésta le presto un color de aquélla y me fabrico un éxtasis primario, tan sencillo como el que hace décadas nació en mi esquina. Fui niño capitalino, comunal, y ahora, gracias al mar y al viento, al vino y a la suerte, soy apenas un viejo, claro que más sonante que contante, pero eso sí, siempre de ciudad.

13. Ecos y ecos

Los ecos de ayer y de anteayer quedaron solos, sin los sonidos opacos y las voces abiertas, luego amortajadas, que los colocaron en el aire limpio. Sobreviven al pasado, son copias fidedignas pero sirven de poco, porque no palpitan, no son continuaciones sino trazos lineales de tiempo, imitaciones de lo inimitable porque su sentido real, único, original, quedó allá lejos, en el silencio del olvido.

A partir de los ecos suelen hacerse pronósticos, casi siempre falsos. ¿Por qué? Porque proponen una dicha mentirosa o la convalecencia de una soledad que no era tal. Los ecos nos siguen o más bien nos persiguen, pero su compañía, aunque sea clamorosa, nos sirve de poco. Es como una jubilación de la pobreza.

Con ellos vamos, un poco desolados, porque ansiamos verdades y no reflejos, hechos y no desechos. Nada podemos reclamarles porque son presencias fantasmales, espejos de lo que oyeron y ya no está, parodias de la muerte. Yo dejo que suenen y resuenen. Allá ellos. Yo prefiero entenderme con mis voces.

14. Tengo lo que tengo

Tengo lo que tengo y nada más, pero no me quejo. Mis manos, ya habituadas a asir lo mío, no son víctimas ni victimarias. Se cierran lentamente y advierto los puños en que se han convertido. No agreden, no golpean, pero por las dudas se abren de nuevo, porque en última instancia tienen la vocación de acariciar y ése es su oficio primordial. Infortunadamente, no tienen a su alcance pezones celestiales. Las manos lloran tímidos sudores y me conmueven con sus diez dedos de nostalgia.

Tengo lo que tengo y nada más. Oscilo entre la consolación y el desconsuelo. Me arden las sienes pero no es jaqueca, sino la búsqueda sobria de un precario equilibrio. Asimismo busco remordimientos más o menos cercanos, y no encuentro ninguno.

Digamos que mis pasos no son firmes. Tendría que probar con pies descalzos, para no engañarme con tacos y con suelas.

Tengo lo que tengo o más bien lo que tuve. En mi alma hay un pozo y en mi sangre hay un náufrago. Mis pensamientos quieren por unanimidad llevarme al sacrificio, pero mis sentimientos pagan el rescate y me evado con ellos.

De nuevo tengo lo que tengo (vaya, la verdad es que me siento otro) pero por fin estoy más seguro y más lejos.

15. Sobre suicidas

Quienes venimos a este mundo somos irremediables suicidas, pero no todos de la misma calaña. El suicida inevitable es el que se sabe condenado a morir, ya sea de un infarto, un cáncer o un accidente en carretera. El suicida vocacional, en cambio, es el que se pega un tiro en la cabeza. Esta última condición es sólo humana, ya que es muy raro ver a un orangután o a una leona, a un elefante o un buitre, que decidan clavarse una reja puntiaguda.

La salvación del suicida inevitable sería por supuesto la eternidad, pero en los últimos siglos esa posibilidad ha entrado en desuso. En cuanto al suicida vocacional, la salvación es más difícil. Habría que suprimir a nivel mundial todas las armas, incluidos tanques y misiles, pero en plena globalización eso es imposible. Además, al suicida siempre le quedará el recurso de tirarse bajo las ruedas de un camión o arrojarse a una catarata sin saber nadar.

Por otra parte, al suicida vocacional le está vedado el desvarío religioso, o sea que si se borra espontáneamente de esta tierra no podrá ingresar ni al paraíso ni al purgatorio, sino que descenderá directamente al infierno.

Si existiera una democracia a nivel universal, sin globalización que la limite, los suicidas (siempre que constituyeran un frente único entre inevitables y vocacionales) podrían llegar a ser los dueños del mundo. Qué problema para las Iglesias.

16. Monologando

El monólogo puede ocurrir en campos varios: en el sueño, en el insomnio, en la vigilia. Casi siempre es un intento de encontrarse, de hablar consigo mismo, con los ojos abiertos o cerrados, con los labios inmóviles o mordiendo un proyecto de palabra. Transcurre a veces por un laberinto y se pierde en insólitos desvíos.

El monólogo es más caótico cuanto más se sale del instante, especialmente cuando se infiltra en el pasado buscando raíces, motivos, semillas de una angustia. Trepa por el muro de la soledad y no convoca a nadie, porque si lo hiciera sería apenas un diálogo. Los cataclismos espirituales vibran, pretenden empujarnos al abismo de los fracasos. El monólogo abre entonces los grifos de la duda, oscila entre la dicha y la penuria y querría consultar al versado corazón. Pero no le está permitido.

Monologamos desde que nacemos, pero en ciertos deliberados intervalos guardamos el soliloquio en el cofre de la fantasía y lo cerramos con candado.

En el monólogo hay árboles, hay pájaros, pezones tañidos como campanas, arrimos a la intuición, hallazgos de la conciencia.

Sin ir más lejos, monologamos para saber, de entre todas las mujeres del entorno, cuál será por fin la que amaremos, y cuándo y dónde nos encontraremos con el monólogo de su cuerpo a la espera.

17. Posdatas

El diccionario define la posdata como «aquello que se añade a una carta ya concluida y firmada». No obstante, se me ocurre que pueden darse otras acepciones. Por ejemplo, si la versión oficial de una existencia le atribuye a su titular un final de honestidad y coraje, la posdata que le agrega el inapelable destino puede aclarar que en última instancia ese prójimo fue un tramposo y un cobarde.

La posdata de un gran triunfo deportivo puede dejar en claro que el deportista estaba dopado.

En la modesta plaza de una ciudad que figura en el atlas, suele erigirse un monumento a un personaje cuya posdata lo derrumbaría.

Algunos de los grandes avances científicos sufren un retroceso cuando la posdata de otro sabio les pone marcha atrás.

En realidad, la posdata de este universo que habitamos sería el descubrimiento de otro planeta con seres vivos, pero esa posdata (por ahora al menos) no ha tenido lugar.

18. Picazones y rascacielos

Según parece, los cielos sufren a menudo de picazones. Bueno, para eso están los rascacielos. A ciertos cielos tenebrosos, como el de Nueva York, los rasca el Empire State Building, que ha suplido en esas funciones a las desdichadas Torres Gemelas. Por su parte, al humilde cielito de Montevideo, que también sufre de picazones, lo rasca el Palacio Salvo.

Los rascacielos no desaparecen con antialérgicos; sólo son sensibles a los terremotos.

A veces, cuando los rascacielos exageran su trabajo contra el firmamento, entonces llueve, los grandes edificios chorrean y la pobreza abre su paraguas.

Sé de una muchacha que es un cielo y al parecer le pica el alma. Quiero ser rascacielo.

19. Vértigos

Cuando el universo se nos transforma en univértigo, algo cruje en nuestras vidas cada vez más frágiles. Cumbres y bóvedas se van quedando con nuestras huellas y no sabemos a ciencia cierta si avanzamos o retrocedemos.

El vértigo del pasado nos sitúa entre la memoria y el olvido. En cambio el del presente vibra como un juego. Pero no es un juego, el vértigo es algo serio, tan serio que nos va cambiando la factura del rostro.

Por supuesto es un riesgo. Hay vértigos que sobrevienen cuando enfrentamos un abismo y otros que nos invaden cuando inauguramos un amor. Vértigo puede ser un vahído o una angustia, una vibración o un estremecimiento.

Cuando atraviesa nuestra soledad, el vértigo se lleva la melancolía, pero nos deja más vacíos, más carentes, aunque eso sí, más estables y serenos. No obstante, cuando se nos mete clandestinamente en el sueño, nuestras pesadillas buscan como locas la salvación del despertar.

La verdad es que no quiero saber nada con el univértigo; prefiero otras provincias del eterno universo.

20. Estupores

A medida que transcurren los años, vamos de asombro en asombro, de estupor en estupor. Las campanas que sonaban rotundas, ahora son apenas modestas y molestas campanillas. Las religiones toman las armas y los dioses aprietan los gatillos. Los mares y los ríos invaden las orillas y los árboles ya no saben qué hacer con tanta inundación.

Los odios ya no son simples resquemores; más bien son monstruosas avalanchas que cruzan las fronteras y desmantelan vidas y viviendas.

Si nos proponemos pensar en nada, nos asombramos al hallar que las nadas rebosan de todos. La insignificancia no nos basta. ¿De qué metafísica goza lo pequeño? Los pies avanzan sobre lo pasmoso y el paisaje se torna cada vez más insólito.

La tierra ya no se asombra del cielo y el cielo no se asombra de la tierra. El corazón casi vacío es otro pasmo, otra sorpresa; a veces otra duda, otra consternación.

Y bien: cuando el estupor invade el alma, es porque andamos cerca del final, de algún nicho a la espera. Y se acabaron todos los asombros.

21. Alertas

En este mundo nuestro, todos vivimos en estado de alerta. En un pasado no demasiado lejano, las alarmas eran armas de la naturaleza: inundaciones, temblores de tierra, vientos huracanados, lluvias torrenciales, aunque no hay que olvidar que a veces venían acompañadas por desvaríos humanos. Ahora son éstos los que provocan las peores alarmas. Sin ir más lejos, la tan mentada globalización es en última instancia un gran basurero del poder.

Nos alarman las invasiones y su obligatoria colección de cadáveres, nos asusta la presencia de algún dios en las guerras. De a poco nos vamos enfermando de alertas, y el sosiego natal va quedando allá lejos, mezclado con el barro de la inocencia.

La alarma se ha convertido en un estilo de vida, y a veces en una antesala de la muerte.

Nos alarmamos al distinguir el rostro impávido de los dictadores, para quienes las únicas alarmas son las revoluciones. O sea que si queremos asustarlos, aunque sea un poquito, debemos construir nuestras modestas alarmitas revolucionarias, para que al menos se miren al espejo y se den asco.

22. Escaparate

El mundo es un gran escaparate. En él se exhiben hechos, tendencias, ilusiones, pronósticos, imitación de dioses, ausencias imborrables, héroes que nunca fuimos, especies de nostalgia, corazones ajenos, etcéteras repletos. A esas minucias las contemplamos casi hipnotizados, sin reconocerlas como propias, pero sabiendo que son nuestras.

En el escaparate están los otros, protagonistas de la realidad, osados o solemnes. A primera vista tienen aspecto de maniquíes, pero mueven las manos y a veces pestañean, o sea que están vivos. Los otros, también llamados prójimos, son jueces insobornables de nuestras actitudes. Por si acaso las guardan en su archivo memorioso, y tras examinarlas con detenimiento las confinan en la basura o en el cielo. Al atardecer se cierra la cortina y quedamos solísimos, pensando en lo que fuimos pero sobre todo en lo que no fuimos. El sueño nos abraza para tranquilizarnos pero los escaparates nos esperan también allí. Aunque son otros, claro.

Éstos exhiben los juguetes que no tuvimos, las lindas condiscípulas que no nos dedicaron ni una sola mirada, los botes en que no remamos, la canción pegajosa que al final consiguió despertarnos.

Y allí nos esperaba un nuevo escaparate, pero esta vez con muñecos rotos y sangre en las heridas.

23. Transparencias

Todo lo que es opaco fue antes transparente: el odio, la lascivia, la pasión, el fanatismo, la gula. Cada opacidad carga con su fantasma, vale decir con su transparencia. Los pensamientos pueden ser opacos, pero los sentimientos casi siempre son diáfanos.

La transparencia no siempre es una ventaja. Hay hechos que al volverse transparentes descubren su intención primaria y ésta puede ser salvaje, despiadada. Hay rostros tan transparentes que ni el espejo puede opacarlos. Y hay miradas traslúcidas que revelan un desvarío interior, ese que vino con los genes y no tiene remedio. También las religiones, cuando son transparentes, revelan que sus dioses son opacos.

La lluvia es transparente; la nieve, en cambio, es opaca. Entre otras lluvias, el llanto es transparente, pero ahí están los párpados para hacerlo opaco.

Hay poetas que vieron pasar «al animal del llanto», pero no se sabe si después resbalaron en sus lágrimas.

Aunque nadie lo dice, entre lo opaco y lo transparente, suele aparecer una valla sutil, llamada ser humano.

24. Apagón

Hace tres o cuatro noches, en plena tormenta cayó un rayo, una furibunda centella que dejó a toda la ciudad a oscuras. Nadie recuerda un apagón tan absoluto. Ni siquiera veíamos nuestras manos, ni mucho menos las manos de los otros. Quedamos inmóviles y desorientados, ignorando si aquello era un cataclismo o simplemente un bostezo de Dios.

Al menos, en la oscuridad se aprende algo. Particularmente se valora la importancia de la luz, la bienaventuranza del sol, la bendición de la electricidad. La televisión, la computadora, el refrigerador, se llaman a silencio, y todos regresamos a un pasado remoto, no importa si con los ojos abiertos o cerrados.

El mundo se convierte instantáneamente en nada, pero dentro de esa nada suenan voces. A la voz no la apaga el apagón. Cantamos, gritamos, sollozamos, insultamos al desprolijo destino que nos pone en este trance.

Por allá suena una oración poco convincente y por acá un suspiro esperanzado. Casi da lo mismo tocar una piedra que una joya, un rostro que una máscara. Busco un apetitoso pecho de mujer y sólo encuentro un fardo, una mole sin nombre.

Estamos a ciegas, sólo nos queda el tacto. Con él distinguimos: la madera, del acero; la porcelana, del vidrio; el tenedor, de la cuchara.

Vaya vaya. ¡Se encendió mi portátil! La ciudad es nuevamente ciudad. Tu rostro querido otra vez es tu rostro. ¡Que vivan las luces!

25. De palabra en palabra

Uno de los trayectos más estimulantes de esta vida es el tránsito por el idioma. El pensamiento avanza de palabra en palabra. Es una senda llena de sorpresas y algunas veces totalmente inédita. Y cuando pasa a ser sonido, cuando cada vocablo por fin coincide con la voz que lo espera, entonces lo normal se convierte en milagro. Paso a paso, sílaba a sílaba, el idioma pasa a ser una revelación. Y qué placer cuando un prójimo cualquiera sale a nuestro encuentro, paso a paso también, sílaba a sílaba, y su palabra se abraza con la nuestra.

Las maravillas y las impurezas emergen repentinamente del olvido y se introducen sin permiso en nuestro asombro. Gracias al idioma, sobrevivimos. Porque somos palabra, quién lo duda. El lenguaje es una bolsa de ideas, una metafísica que no tiene reglas, una propuesta que cada día es distinta.

Al flanco de los cedros y los pinos crecen los nombres y las flores, porque el lenguaje es también un jardín.

26. El mundo pasa

Desde mi sólida banqueta, o sea desde mi trono de pelagatos, veo desfilar el tiempo y sus minucias, los torbellinos del desorden, las fragatas que en el puerto se mecen impasibles, los murciélagos que inmóviles vigilan, las golondrinas que regresan cargadas de experiencia.

También manos que ahora son casi garras, bocas seductoras que reclaman besos, pieles que se convierten en pellejos, ojos que aman cuando miran, colinas de allá lejos que se acercan, arroyos que se vuelven ríos, ríos que se vuelven mares.

Desde mi sólida banqueta, desde mi trono de pelagatos, veo cielos que se aclaran y oscurecen, viejitas que no hace mucho eran muchachas, desalientos que fueron esperanzas. Pero también futuros que se abren y nos llaman, con promesas que quién sabe y no obstante admitimos.

El mundo pasa sin interrupciones, con paisajes que llenan el contorno, alarmas con abismos, glorias inaccesibles, perdones que no pedimos y alborotos en la conciencia cerrada con candado.

Hasta que en una noche inesperada, los párpados sucumben y ya no se levantan.

27. Museos y campamentos

Una red de museos dignifica en cierto modo la geografía cultural del orbe, al menos de este que habitamos. Hay muestras de vestigios prehistóricos, exposiciones de artesanías indígenas, pinacotecas de artistas renombrados con ninfas desabrigadas que nos convocan o lienzos indescifrables que nos dejan al margen, propuestas religiosas que nos llenan de dudas o duendes infernales que nos hacen señas. Pintores como Velázquez, Gauguin, Goya y también nuestro Blanes, que dejaron en sus cuadros rostros que nos miran y hasta nos interrogan. Hay gliptotecas, museos etnológicos, exhibiciones de reliquias. Sólo echamos de menos un museo de alegrías.

En cualquier descuido de la vida, los conflictos suelen levantar campamento. El desacuerdo se viste de rabia, las campanas se quedan en cencerros, los reproches presentan su factura. El egoísmo de la sequía se burla una vez más de las cosechas y nadie puede explicar lo inexplicable.

En el campamento recién inaugurado se van refugiando los problemas, con la imaginación ya sin nostalgia y sin atreverse a recordar. Las querellas domésticas claman a gritos por la ruptura, y las simples cosas, en apariencia obturadas, herméticas, de improviso se abren para herir con ganas. El campamento es en principio una protección, una guarida, pero cuando llueve interminablemente y un rayo cae en el solar vecino, nadie piensa en desafiar la realidad, pero entonces llegan la fatiga y el hambre y el campamento pasa a ser una prisión. El habitante tal vez recuerde que para él antes de este cambio, el campamento individual tenía como premio la tan ansiada y silenciosa soledad, pero en cambio no es posible una soledad rodeada de estruendos. Entonces el solitario acaso arme su propia lluvia, su aguacero de lágrimas.

Y así transcurre el tiempo, se suman las jornadas, y mucho más allá, mucho después, llega un amanecer espléndido, con el redondo sol, y entonces los turistas vuelven a pasar y se detienen por un instante, y el guía les informa: «Miren, aquí se levantaba un campamento». Y un turista curioso se atreve a preguntar: «¿Y sus ocupantes?». «Bah —responde el cicerone—, nunca se supo de ellos».

28. El remolino del paisaje

¿Qué entenderá de nosotros el remolino del paisaje? ¿Sabrá cuándo y por qué nos desarmamos a la hora de concebir un más allá? ¿Sabrá qué sentido tiene para nosotros la desdicha y más escasamente la alegría? ¿Por qué durante años nuestros ojos están limpios y secos y en un solo crepúsculo se enturbian de llanto?

Cuando nos acercan un río ¿sabremos en cuál de sus riberas inauguramos nuestra amnesia? ¿En qué espadaña sonó por vez primera el cascabel del miedo? El paisaje acude a nosotros y hasta nos asedia, especialmente cuando viajamos. No en barco, cuando el paisaje es abrumador océano, ni en avión cuando el paisaje es nubes. Acude en cambio cuando lo recorremos en ferrocarril. Durante años y años, cuando la juventud me daba fuerzas, viajé y viajé en Europa, de ciudad en ciudad, siempre sobre rieles. Y ahí comparecía el remolino del paisaje. Desde la ventana del vagón andante el paisaje es una revelación. Durante esos felices y renovados años estuve en más de veinte ciudades de Europa y de una a otra me moví siempre en ferrocarril. Dormía con los ojos abiertos y despertaba en sueños. Imposible desperdiciar las montañas, los puentes, las praderas, los arroyos, las lomas nevadas, los bosques, los lagos inmóviles, el enigma de los túneles, las anchas carreteras, los interminables chaparrones que empañan los cristales, o sea, la vida de afuera.

El remolino de cada paisaje, que siempre es distinto, nos invade el cerebro y también, por qué no, el corazón. Sólo entonces tomamos conciencia de que nosotros también somos paisaje.

29. Otro escaparate

Desde el horizonte hasta mis ojos con lentes verdes de contacto, el mundo es un escaparate. No más allá del horizonte, porque ahí empieza otro comercio, que seguramente constará de otras vidrieras.

Lo que vemos aquí es tan variado que a veces nos aburre. El atractivo está en lo único, en la morada de la soledad, en el pulso de un corazón marchito, en el tránsito por una pesadilla propia, donde un prójimo nos vigila y otro nos hace trampa.

En el escaparate hay rostros que enamoran, pero antes de conmovernos hay que tener mucho cuidado, porque a veces son simplemente maniquíes y uno se da de cabeza contra sus codos de plástico o sus rodillas de madera. Los verdaderos cuerpos que reclaman y merecen amor andan por la calle, bajo sus paraguas azules o bendecidos por el sol. También la lluvia torrencial lava el amor, lo deja limpio por dos o tres jornadas, y uno, más inocente que nunca, cree que ha ganado el cielo, esa utopía.

En el escaparate de la realidad hay festivales pero también hay cementerios que parecen jardines. La gente se acerca a las tumbas y a los nichos y les deja flores, que pueden ser perdones o remembranzas, pero tres o cuatro crepúsculos después el camposanto será apenas un jardín de flores marchitas.

Mientras tanto, en plazas y calles la vida sigue e improvisa, como si la muerte fuera una invención, una mentira. Y a lo mejor lo es. Uno termina aferrándose a esa imposibilidad, sin advertir que más adentro el alma desfallece.

30. Árboles

La modestia de los árboles es infinita. Cuando la brisa matinal los acaricia, ellos dejan caer dos hojas tiernas, y cuando el vendaval los agrede sin piedad, endurecen sus ramas como rejas. Su tronco recobra entonces la solidez de su origen, y el temporal se aleja, con lluvia de vencido.

En la paz los árboles reviven, detectan con curiosidad sus diferencias, comparan sus follajes y dan la bienvenida a los pájaros, esos hermanos traviesos que les traen noticias de otros frondosos colegas. Por supuesto, están también las cigüeñas y las lechuzas de campanario, a las que poco les importan los árboles. Los miran desde lejos sin mayor interés, y los robles y los cipreses, los álamos y los ombúes, buscan consuelo en sus viejas raíces.

Los humanos, en general, se llevan bien con los árboles, con su sombra protectora, con su frescura. Se llevan bien, salvo los leñadores, que por oficio son los asesinos de los árboles y éstos les temen más que al rayo.

Hay árboles que sólo tienen ramas y hojas, pero hay otros que además tienen flores y frutos. Los quiero a todos, vestidos de follaje o desnudos de manzanas.

Allá en la copa, que es su merecido lugar cerca del cielo, está el pájaro gris, o quizá azul o quizá rojo, con sus alas plegadas y su pico entreabierto. Yo sé que me está diciendo fechas, pronósticos, tal vez alarmas, pero no lo entiendo porque no conozco el idioma de los pájaros, y no le respondo porque él no conoce el lenguaje de los hombres.

Por tanto, el árbol asiste silencioso a esta incomunicación de las vidas y entonces yo decido estirar mi brazo izquierdo y me apoyo en su tronco solidario.

31. Descalzos

Cuando uno anda descalzo por la vida, concibe de a poco otra definición del mundo. Los pies reciben en sus plantas el sentido cabal de lo que pisan, ya sean baldosas, yuyos, caminos, hierbas, adoquines, praderas, bulevares, collados, veredas o andurriales.

Lentamente, los pies van aprendiendo qué es la tierra, o sea este planeta que nos ha tocado en suerte. Las plantas descalzas comienzan ignorantes, pero lentamente se van volviendo sabias. La superficie por la que andamos tiene su lenguaje y nos va instruyendo. Los pies descalzos elevan su informe y gracias a esa gratuita desnudez, vamos sabiendo algo más, tanto de los otros como de nosotros mismos.

El mundo del descalzo no precisa de filtros, simplemente nos da lecciones de realidades varias.

Los pies pueden lastimarse y dejan huellas de sangre, que suelen servir de guía a los descalzos de segundo rango. Uno mismo, cuando va descalzo por su entorno, llega a creer impunemente que el mundo es suyo. Pero no lo es. Unas pocas veces es de otros descalzos más avezados, y otras veces pertenece a ciertos fantasmas que nunca dejan huellas.

No sé por qué tengo la loca intuición de que el mundo acabará perteneciendo a los descalzos. Que me perdonen los pies desnudos del *homo faber* omnipotente.

32. Naturaleza

La naturaleza está ahí, sola, esperando ojos que la revelen, corazones que la sientan. Desde sus montes o sus llanos, desde sus bosques o sus praderas, la naturaleza es en principio una expectativa, una oquedad para ser llenada, una propuesta para el augurio.

Es tan antigua como el universo, aunque sea apenas un trocito de esa inmensidad. En la naturaleza surge y se levanta la vida. Aun en pleno desierto, crea sus oasis. Tan sólo somos libres cuando encontramos nuestro oasis.

Como dejó escrito uno de los heterónimos de Pessoa, «el único sentido oculto de las cosas es no tener sentido oculto». Pues bien, la naturaleza no tiene sentido oculto. Preexiste y existe a la vista de todos.

Cada sobreviviente es una humilde rebanada de la naturaleza. O sea que vos sos naturaleza. Y yo también, por suerte yo también.

33. El río

Viene de la montaña, cortando por lo verde. Infinidad de llantos van inventando un río. Y uno lo ve pasar con sus peces esclavos, acariciando algas y tocando orillas.

Yo no le tengo miedo, más bien me tranquiliza. Es como si se mezclara con mi sangre (mi río particular) y la limpiara.

Hasta el cielo, que allá arriba balbucea, se refleja en el río y lo pone celeste, con tímidas nubes y lunas que navegan.

El río va remolcando su piedad y recibe el candor de sus afluentes. Sus ondas no son olas, son pudores del agua que seducen al sol.

Las riberas conservan su memoria del río, para ellas no hay olvido. El agua dulce avanza hasta la sal del mar.

Pero antes se aquieta, en su tiempo azogado nos miramos y tiembla nuestro rostro, ése del agua. Al final pasará pero estamos seguros de que en el próximo sueño nos mojará las manos.

34. En vuelo

Hacía por lo menos seis horas que Alcira y Roberto habían abordado en Barajas aquel avión enorme. Era un vuelo directo de Madrid a Buenos Aires. A él se le ocurrió mirar por la ventana y no vio nada, absolutamente nada, ni siquiera estrellas.

De pronto la mujer le apretó un brazo y tratando de vencer al zumbido del vuelo, le confesó en el oído que quería bajarse del avión porque estaba aburrida.

—No podés bajarte —le dijo él—, estamos volando en pleno Océano.

—¿Y eso qué importancia tiene? Yo me quiero bajar, aunque estemos en pleno Océano. Me quiero bajar porque estoy aburrida.

Roberto llamó a una azafata, le explicó que su mujer estaba enferma y le pidió una pastilla calmante y un vaso de agua. Ella no opuso resistencia, tomó la pastilla y se durmió apaciblemente.

Él la contempló durante un largo rato con paciencia y ternura, y luego reflexionó en silencio, sin preocuparse del monótono bramido de la gigante aeronave.

Y pensó, sorprendido de su propia cavilación, que su mujer estaba enferma y él estaba sano, que ella quería bajarse y él sabía que no era posible, pero tuvo que reconocer que aquel vuelo interminable lo tenía más que aburrido. Y pidió otra pastilla.

35. El silencio

En el principio fue el silencio. Abrumador, inextinguible, poderoso. Qué espléndida laguna es el silencio. El oído científico y ateo no ha descubierto aún cuál fue el primer sonido que se enfrentó a esa calma ni cuál fue el ser viviente que profirió el alarido inaugural.

En eso del origen de lo humano, los creyentes se apoyan en el Génesis y allí se enteran de la aparición de Adán, de Eva y de la serpiente celestina (también creación de Dios) que organizó los primeros amores incestuosos. Después la cosa se puso trágica y los primeros cainitas acabaron con los primeros abelitas.

Mientras tanto, el silencio era un vigía contemplativo pero inmóvil y así siguió de siglo en siglo, escudriñando guerras de soslayo y desmenuzando paces, tan breves como transitorias.

A partir de ese tramo, el silencio se metió en los insomnios y también en los sueños, donde las peores pesadillas convertían al durmiente en ciego y sordo. Así pues, cuando los amantes se abrazan en silencio no escuchan el latido de sus conmovidos corazones. Y cuando los suicidas ingresan en el fin, quizá comprendan que la muerte es el silencio. Por su parte, el silencio del mar, que escucha siempre, es más concentrado que el de un cántaro, más implacable que dos gotas.

Algunos veteranos narran que en su gastada sombra sólo el grillo hacía trizas el silencio, pero cuando enmudecía la serenata, la oscuridad era de nuevo silenciosa y azul.

Así y todo, para qué negarlo (tal como lo escribí hace treinta años), hay pocas cosas tan ensordecedoras como el silencio.

36. Fotos

Las recorro una por una. Colección del pasado. Conmovedor. Exasperante. Módico. Comparecen padres, abuelos, hermano. Amigos que murieron leales. Otros que traicionaron en vida. Amores y desamores, pero sobre todo un largo y definitivo amor. Gobernantes y gobernados. Aparecidos y desaparecidos. Rostros de la tortura. Ojos de los verdugos. Horribles. Presencia de los ausentes. Muros con exigencias, con denuncias; otros con homenajes. Árboles y más árboles. Y el mar, bendito mar. Barcos que no volvieron. ¿Seguirán con su escolta de delfines? Nostalgia de un ensueño. Planicie del rotundo despertar. Y el mar, el mar de nuevo. Con nubes que lo techan. Y gaviotas, las mías, las que saben mi nombre, por supuesto es mentira, pero ¿no sería maravilloso que sus alas tan lisas volaran para mí? Fotos de un palacete junto a un pobre tugurio. La reina de belleza abrazando a un mendigo. Y el mar. Ahora mismo confirmo, juro, asumo ante el espejo, que agregaré más fotos con el mar, este mar mío.

37. Tiempo

Me aferro al tiempo como si pudiera sujetarlo. Pero él transcurre, inexorable y sordo. Los sabios más estúpidos envían misiles y naves espaciales para formalizar su idilio extraterrestre, pero es inútil, nadie los espera. Cada cuerpo celeste, planeta, asteroide o aparente luminaria, es tan sólo un vacío. Nadie es el dueño de la nada, y la nada es el pozo, el abismo es de nadie. No hay preñeces, no hay partos, no hay palabras, no hay llantos. Sólo cunde el silencio. No hay sangre que justifique que hubo vida. Sólo rocas de burla, aire mudo, que ni siquiera es aire. ¿Dónde estarán las órbitas, las tímidas burbujas, aptas para llenar las ansiosas mochilas de la ciencia? ¿De qué le servirá este techo de tinieblas? No hay sueño sino la pesadilla más tediosa. No hay números: es la ruta del cero baladí. No hay letras: salvo la Z inútil de algún borde. No hay tierra para endiosar a la semilla. No hay. No hay.

Lo que hay está aquí, en nuestro mundo de codicia y hambre. Niños que mueren entre lluvia y lluvia. Cada viejo, cada matusalén que se abraza a la muerte, la antediluviana y la de hoy. Y jorobada y todo ella se los lleva. No se sabe si a Dios o a otro lejano adiós, tal vez más promisorio. Me aferro al tiempo como si pudiera sujetarlo. Qué pavada, ¿no? Qué epílogo de algo, qué prólogo de nunca. Basta por hoy. Y por mañana. Chau.

38. La realidad

La realidad es un manojo de poemas sobre los cuales nadie reclama derechos de autor. Debajo de cada piedra, de cada baldosa, se esconde un poema.

Hay irreverentes, y también historiadores, que sostienen que la virginidad de María es un error de traducción. Y puede que sí. Pero ya sea en arameo, zendo, jónico, eólico o ático, haya sido virgen o mujer normalmente sexuada, María es sobre todo una imagen poética, digna de parir a esa prometedora metáfora llamada Jesús (no olvidemos que expulsó del templo a los mercaderes).

Hasta en las guerras hay poesía, pero nunca en la artillería de los vencedores sino en la última mirada de los vencidos. Hay poesía en los himnos patrios, pero no en la cursilería de sus letras sino en las voces de quienes los cantan.

Hay poesía en los cuadros de Van Gogh o de Velázquez, de Murillo o del Tiziano, de Durero o de Gainsborough, y hasta en las peligrosas arañitas que alojan su hambre estética detrás de un cuadro de Picasso o de una estampa de Buda.

Cuando uno ve pasar una muchacha con su garboso contoneo y murmura que es un poema, sólo dice la verdad. Aun el dolor es poético, como bien lo documentaron Shakespeare y el Dante, y más cerquita Rulfo y Quiroga.

Lo malo de la realidad y también de la poesía es su punto final. Como éste.

39. Crepúsculo

Lo que sigue es el insólito testimonio de un tal Cerbero Atocha:

«El sol había caído y la sobreviviente claridad era la de un crepúsculo plomizo, por cierto nada estimulante. Yo venía caminando, un poco cansado, a pasos lentos, cuando al doblar la esquina vi aquel cuerpo tendido, inmóvil.

»Recordé por un instante esa fea costumbre norteamericana: si ven a alguien caído, todos siguen de largo, sin prestarle auxilio ni siquiera atención. Así que traté de acercarme a aquel desgraciado, pero entonces se abrieron todas las ventanas, con oscuras figuras y agrias voces que me gritaban: "Noooooo", así que retrocedí hasta un zaguán que quedaba a sólo tres metros del desvalido. Y desde ahí me puse a mirarlo, a examinarlo, y en cada vistazo le encontraba más rasgos conocidos: la frente ancha, la nariz afilada, el cuello largo.

»Pero ¿quién era? Me fue invadiendo una creciente inquietud. ¿Quién era aquel manso cadáver? Y allí nomás tuve que enfrentarme a la revelación. ¿Cómo no iba a hallar rasgos conocidos en aquel cuerpo? ¿Cómo no iba a identificarme con aquel hallazgo, si el muerto era yo? Yo, el mismísimo Cerbero Atocha. Que en paz descanso.»

40. Están empero

Los que no están, están empero. Cayeron como vamos a caer en nuestra noche. La leve eternidad ya los protege. Quedaron sus palabras, escritas o escuchadas, sus gestos de alegría, sus odas de amargura. Sus manos que aún dialogan a veces con mis manos.

El cielo que ellos vieron me está viendo, celeste. El mundo nos rodea, con ellos y sin ellos. Faltaron en el júbilo, cuando todos lloramos. Faltaron en la pena, cuando todos cantamos.

Si percibo en mi espalda algún abrazo, pienso que pueden ser. Pero no son. Están empero.

Quisiera introducirme en sus ausencias y preguntarles todo: qué se llevaron, qué dejaron. No es bueno convivir con el vacío.

El pasado, colmado de sus rostros, nos castiga y nos premia. Reparte sus consejos, sus reproches. La memoria los junta. Y algo que vale: los que se fueron vuelven en los sueños. Bienvenidos.

41. Poca cosa

Gastan millones en misiles buscadores de algo y no hallan nada. Sólo rocas y rocas, abismos y montañas. Ni sobrevivientes ni sobremurientes. En consecuencia, llenan la tele de monstruos, esqueletos móviles, aburridos fantasmas, que sólo sirven para sembrar curiosidad y horror entre los niños.

Esta minúscula, microscópica humanidad, este piojo del Universo tiene un enigma, pero no lo revela. Ni siquiera hay memoria de la nada que nos parió.

La locura sin altares, la cordura de ateo, nos abochorna y abochorna al cielo, ese presagio. Lo mejor es soñar, porque es mentira, un contrabando como cualquier otro. Eso está permitido.

Al menos en los sueños no hay espejos. Ésos quedan para la duermevela. Y allí, cuando nos vemos, nos cuesta decidirnos. No sabemos si reír o llorar.

Entonces respiramos y el espejo nos presta una estampa de pájaro. Y volamos.

42. Aplausos

El aplauso es por lo general una recompensa de lo ignoto. Puede sonar aislado o como un coro imponente de palmas. Sobreviene como el ámbar y a veces tiene color de profecía. Puede ser una peligrosa tentación o también un azoro de la humildad.

Cuando provoca jaqueca o dolor de garganta, es porque no estamos preparados para el rito.

Si el aplauso es un alrededor, vale la pena alzar el vuelo. No para siempre, por un rato, medir de lejos la eclosión, sin repentina vanidad y sin falsa modestia.

Como el aplauso viene de las sombras hay que pensar por qué. De todos modos uno los colecciona: cuelga algunos en el corazón y otros en el perchero.

El aplauso puede ser un mensaje, un empeño, un galardón, pero también una lástima, un golpe de ironía. Puede venir de tres amigos generosos o de un estadio repleto.

De todos modos, hay que aprender a vivir sin aplausos, o sólo con el aplauso de la conciencia espontánea y veraz.

43. Alegría

Uno tiene derecho a la alegría. A veces es humo o es niebla o es celaje. Pero detrás de esas demoras ella está, esperando. Siempre hay una hendija del alma por donde la alegría asoma sus despabiladas pupilas. Entonces el corazón se vuelve más vivaz, se extrae de su quietud y es casi pájaro.

La alegría sobreviene después de las ausencias, al fin de las nostalgias. Si uno se reencuentra con lo amado y su revelación unánime, es lógico que el gozo nos abrace y a uno le vienen ganas de cantar. Aunque no tenga voz, aunque esté ronco de pasadas angustias.

Después de todo la alegría es un préstamo, no nos pertenece. Es una locurita, un premio pasajero, pero la disfrutamos como si fuera propia, como un lucro, como una primavera de la vida. Ella se aferra al tiempo, arrastra su poquito de la infancia y se mete soplando en la vejez.

Semana tras semana, año tras año, la alegría va llenando vacíos. Hasta que no puede más y se vuelve tristeza.

44. Disparate

En primera instancia somos un desatino y en última instancia un disparate. No sé quién se habrá ocupado de crearnos, tan indefensos, tan soberbios, tan inauditos, tan curiosos.

Sin embargo sin embargo y con embargo somos un misterio que está siempre en el borde del abismo. El universo sólo sabe burlarse de nosotros, nos abanica con la pantalla de la muerte como si fuera una novedad. ¡Si sabremos que el no existir existe!

Somos un disparate porque así y todo buceamos en la fe, buscamos el cielo cuando la lluvia lo desaparece y abrimos los brazos cuando las catástrofes nos cercan.

Somos un disparate porque elegimos el crepúsculo desde la terraza y nos metemos en la noche sin ninguna exigencia.

Aquí y allá enfrentamos paradojas, inventamos palabras de locura, paréntesis de ansiedad. Y así andamos, descalzos, por las piedras, sin que el alrededor nos haga mella.

Y mientras tanto, el mundo mudo nos contempla y el corazón nos sigue.

Qué disparate.

45. Ausencias

Las cosas que nos faltan, cuántas cosas. Las que quedaron en el camino o nunca accedieron a él. Quien más, quien menos, todos llevamos una filatelia de las ausencias.

Hay partidas, adioses de los que no volvieron ni volverán. Aun en las mejores y conquistadas alegrías, sobreviene de pronto un vacío y nos quedamos taciturnos, solos, tiernamente desolados.

Por suerte cuando soñamos vuelven todos, los que todavía son y los que fueron. Y abrazamos fantasmas, almas en pena y almas en gloria. Ellos nos cuentan su impiadosa sobrevida, aunque, eso sí, marcando siempre su territorio, que es sólo invierno.

Su exilio tan pasivo, tan inerte, no está consolidado. Con su martirio, nos martirizamos, quizá porque sabemos que todo eso acaba en un opaco despertar. Viene entonces la fase de ojos abiertos, también llamada insomnio. Allá arriba está el cielo raso, con la araña de siempre en su rincón de redes. Nos faltan manos para acariciar, labios para besar, cintura que estrechar, cuerpo que penetrar. Todo es ausencia.

46. Guarida

El mundo es tan cambiante, tan inesperado, que es bueno construirse una guarida, no sólo para desalentar al azar sino también y sobre todo para borrar las culpas que los buenos vecinos nos endilgan.

Desde la guarida vemos transitar el invierno maldito con su helado cortejo. Vemos pasar a las brujas del Norte con su esperpento globalizador. Y apenas distinguimos a través de la niebla a los buitres solemnes que perdieron el rumbo.

En la guarida estamos ilesos mientras cunde algún desastre. Y nos contamos cuentos y encendemos la antorcha.

Si una Ella nos hace compañía, vaya gloria plural. Y si estamos aislados, solitarios, vaya pobre singular. En la guarida, sin la entrañable plebe, somos los modestos propietarios de un milímetro de universo, de un centímetro del mundo.

Somos tan transparentes, tan formales, tan ácidos, que el protoplasma añora sus antípodas y nos pide colores y hasta salmos de ateos.

La eternidad se aburre o se calcina. Los deseos se asoman en el hueco y dejan flores por si acaso.

En la guarida estamos casi a salvo. Nadie puede matarnos. Salvo la muerte, claro.

47. Ajustes

Si en un insomnio cualquiera, uno pretende aliviar el desvelo, puede que se le ocurra mirar hacia atrás. Cuántos hechos y desechos se acumulan en cada recoveco de la memoria: amagos de osadía, pasos en falso, desamores y amores, admiraciones y esperpentos, porquerías y chispas de humor. Uno apenas se reconoce en los cruces de sí mismo consigo mismo. Como si se tratara de confusos borradores del azar, de rostros en la niebla, de maletas perdidas.

Y en la balanza octogenaria, el platillo del pasado pesa mucho más que el del futuro. Pasó mucho y queda poco. No cabe duda de que algo se ha aprendido, por ejemplo a asumir el dolor: el físico, que puede ser curable, y el otro, que se prende en el alma para siempre.

El ayer transcurre sobre el fuego, sobre el mar, sobre la tierra. Nada puede borrarlo, porque es hálito, destino. No hay más remedio que meterlo en la bolsa, y cómo pesa.

El presente es apenas una línea divisoria, una frontera que de poco sirve. Uno la pisa y la pasa, y el avaro futuro nos recibe con su abrazo implacable.

48. Monotonía

Otra vez los misiles rasgan el espacio. En Londres, en Bagdad, estallan los silencios y las bombas. Qué monotonía.

En Colombia los marines fortalecen su mercado de drogas, la pasta base mata en apenas seis meses. Por algo enloquecemos de a poco en la inocencia. Qué monotonía.

Todo es adrede, todo hace trizas el alma. El pobre tiempo ocurre con sus buitres, sus incendios. Qué monotonía.

Después de todo Dios, si es que hay alguno, se dedicó a crear abismos y cenizas, simulacros de azar. Qué monotonía.

El mundo asume el color de la tristeza y nace y muere sin excusas. Todo se carga, todo se repite en sueños y vigilias. Qué monotonía.

Sólo una diana rompe lo monótono y es el abrazo de la muertecita.

49. Basta

Digamos que el tiempo pasa y yo lo siento en la saliva, cada vez más espesa. Tendría que preguntarle a la conciencia cuántos reproches me reserva. Pero prefiero hacerme el sordo.

La palabra inquietud colma la realidad, como si fuera un humo concentrado. La libertad le da un pellizco al alma y uno no tiene más remedio que ser libre. De todos modos, la cordura vigila y amenaza con meternos en el corral de la razón. Somos frágiles y eso nos salva. El desconsuelo nos consuela y nos es imposible traicionar.

Por suerte no tenemos dioses que nos perdonen. A veces pienso que la vida es un error, pero claro, más error es la muerte.

Entre el ensueño y la pesadilla hay un paréntesis en el que nos formamos. Sale el sol y hacemos sombra. Sombra de aire y de fiebre, sombra de misterio.

Quién sería capaz de revelarnos y de rebelarnos. El pobre lago nos copia como fuimos y después se quiebra.

Basta de navegar en el olvido. Basta de bendecirnos en la lluvia. Basta de no ser nadie. Basta de que el placer nos desconozca. Basta de convivir con la derrota.

Basta, carajo.

50. Patria

La patria es como el arroz: germina en todas partes, así sea con océanos de por medio. En el exilio uno suele hallar patrias en pedacitos. Recuerdo que hace unos cuantos años, en una modesta taberna de Heidelberg, apareció de pronto un veterano con un acordeón y la emprendió nada menos que con La Cumparsita. Tuve que hacer un denodado esfuerzo para no enfrentar a aquel público germano con un papelón de lágrimas.

La patria es un territorio pero también es un fantasma que se aparece por las noches, ya sean éstas de Atenas, de Sevilla, de Tegucigalpa o de Brasilia. Uno estira los brazos para alcanzarlo, pero el fantasma patrio abre los postigos de sus alas y nos deja extranjero por un largo minuto.

Precisamente entonces puede llegar un rostro tan desconocido como familiar, y uno lo reconoce por sus vivos ojos de Salto o de Tacuarembó, convertidos ahí nomás en fanales patrióticos que vienen de lejos o están aquí al lado, sufragando de a poco nuestras arduas preguntas.

Hay orillas donde la patria viene en olas y hay visiones donde la patria es un paisaje. Aun la fealdad de una patria tiene su inexorable belleza y también su obligada tristeza incluye una alegría.

A veces, lindas veces, la patria se vuelve una mujer y nuestro patriotismo erótico sale a su conquista. Es por eso que la patria puede ser dos cuerpos tiernamente enlazados y tal vez de esa unión nazca una patria niña.

La patria no siempre tiene cuerpo pero no hay duda de que tiene alma. De ahí que esos gobernantes que tienen la indecente y maldita costumbre de invadir pequeñas e indefensas patrias, sean simplemente unos desalmados.

51. Desde lejos

El exilio, cualquier exilio, es el comienzo de otra historia. Es dolor y a la vez descubrimiento. Uno siente nostalgia de esquinas y arboledas, de lagos y viñedos. Las paredes son otras, el suelo verde es otro. El cielo sin Vía Láctea está vacío. Uno acomoda la conciencia en la mochila y aprende del escándalo imprevisto y del sosiego huraño. Los rostros más constantes oscilan entre la furia y la sonrisa. Las profecías se hacen polvo y el corazón se va de vacaciones.

Todo eso ¿por qué? Quizá porque de todos modos sobrevivimos en la diferencia y llenamos la soledad con otras soledades que tratan de entendernos.

El exilio tiene algo de abandono y de espantos diminutos, de expectativas inalcanzables, de flor de un día. La claridad se va poniendo oscura y nos extrañamos a nosotros mismos hasta que la oscuridad se vuelve clara. No es fácil acostumbrarse a los cambios de ruta; menos aún a dialogar con los que están.

Las fronteras, el humo, las aduanas, los sabios que no saben, la esperanza dormida.

Obligado o voluntario, el exilio tiene también algo de patria; segunda patria, claro. Y cuando nos propone su alrededor de prójimos, entramos en su gracia. Y damos gracias.

52. Miserables

Hay varias especies de miserables. Están por supuesto los asesinos, los canallas, los uxoricidas, los degolladores, los verdugos, los envenenadores, los parricidas. Pero hay miserables recónditos, ladinos, furtivos, solapados, que se enmascaran de honestos, se camuflan de héroes, se fingen generosos.

La condición de miserable es un tumor del alma, casi siempre incurable, porque el alma no admite cirugías.

Una loca ambición del miserable suele ser el poder. Aclaro que no todos los poderosos son miserables, pero sí los más encumbrados, los hacedores y/o financiadores de armas atómicas, los invasores de paisitos, los blancos que discriminan a negros y amarillos, los cazadores de palomas y de liebres, los inventores de calumnias. Hay miserables diplomados, que a veces llegan a ser miserables diplomáticos, y no faltan los que son miserables consigo mismos, esos que le hacen zancadillas a su buena fe, o sea los que se borran de su propia memoria para convertirse en solemnes granujas.

Dicen que Dios creó a los miserables para proporcionar trabajo a los ángeles justicieros. Pero los miserables son capaces de cortarles las alas.

53. Irse y volver

Una cosa es el exilio y otra cosa es el éxodo. En el exilio lo ponen a uno de patitas en la frontera y el expulsado se va con su nostalgia a cuestas en busca de otra tierra, otros sabores, otra razón de ser. En el éxodo, en cambio, es uno el que se arranca, el que quiere ser otro. Sin embargo, exilio y éxodo tienen algo en común: el alrededor, al principio ilegible, que de a poco se aprende. Uno mira el paisaje como si fuera un simple repertorio y acepta los nuevos rostros como suma de instantáneas. La pasarela por donde llegamos se diluye en un suspiro y la vieja maleta nos pide que la abramos. Allí está el corazón del viaje. Conviene no extraviarlo. Hay que respirar hondo con los ojos cerrados y casi enseguida abrirlos por si acaso.

Empezamos a hablar a solas porque la nueva obsesión será no olvidar nuestra lengua. De pronto hablan otros y sorpresivamente sabemos lo que dicen. Con otro deje, claro, otro cantito, pero nos entra en los oídos como una bendición. Y ahí nomás la añoranza se mezcla con la sorpresa, la melancolía con el asombro. Curiosamente, el pan tiene gusto a pan y el dolor ajeno se parece al nuestro.

¿Volveremos? Al menos los pájaros vuelven, o sea que tendremos que aprender a volar.

Bajo esta luna o bajo aquella, el beso de aquí se parece al de allá. ¿Volveremos? Habrá que regar con sentimientos las ganas de volver, cada una en su maceta.

54. El pasado

El pasado es la única temporada que crece cada día. Desde el hoy solemos contemplarlo con un poco de angustia. Y nunca está completo. La memoria se queda apenas con fragmentos, que no siempre son los más relevantes. En el pasado hay remansos de amor y pozos de odio. Ruiseñores canoros y cigüeñas mudas. Crímenes y caridades, octubres primaverales y junios congelados. El pasado es un tango deslumbrante, que de a poco empalidece. Un camposanto donde yacen esperanzas y quimeras. Sólo sobreviven unas pocas utopías que no llegan a destino, pero al menos nos animan, nos hacen creer que somos, que existimos.

En el pasado fluye el río, la lluvia balbucea. El ayer es una envoltura de sucesos, de nunca más y todavía. Cuántos puentes habremos cruzado entre el descanso y el cansancio, entre el misterio y la revelación. Dicen que en el pasado crecen las semillas del futuro, pero en qué jardín, en qué cantero, si el futuro es cada vez más corto, más mezquino, más gravamen de rocas imbatibles. Lo pasado, pisado, dicen los pesimistas. Después suspiran y a veces expiran.

55. Lluvia

La lluvia es una reja y a través de esa reja veo el paisaje, las calles, tu rostro que parece llorar. Lo que ocurre es que la lluvia es un llanto, pero ¿de quién? ¿Alguien vio alguna vez las lágrimas de Cristo, cuando invocaba al padre y él nunca respondía?

La lluvia es salud. Si el entorno llora es porque vive. ¿Qué diferencia habrá entre llorar de amor y llorar de dolor? Hasta los ciegos ven la lluvia cuando ésta los bendice como un fantasma generoso.

Extendemos las manos y la lluvia las moja como una limosna. En mi memoria hay lluvia de ayer y no la olvido.

La lluvia es una reja y a través de esa reja me reconcilio con el mundo, que está lleno de prójimos, de tristes. Con la lluvia se pagan las deudas del alma, que después de esa entrega va a dormir tranquila. Hay lluvias de palabras y lluvias de silencio.

La lluvia es una reja y a través de esa reja me veo en un espejo en que estoy pero enrejado.

Y cuando en una hora señalada no haya más lluvia y aparezca el sol, ese implacable, me veré extraño, casi otro, y sentiré nostalgia de la lluvia.

56. Guerra y paz

Cuando la guerra se disfraza de paz, es la peor de las paces. Invade como ayuda, pero deja cenizas por donde pasa y muertes por doquier. La paz se vuelve hipócrita, los mansos no le sirven. Agrede a los otoños y les pisa las hojas. Y por si fuera poco, su razón de ser tiende a la sinrazón.

De arrabal en arrabal, los pájaros indagan y su juicio es severo. Esa paz que es de guerra vierte sangre en los suelos y es sangre de los cuerpos, maldición repentina, embuste enmascarado.

Cuando la guerra se disfraza de paz, nos deja casi atónitos, inaugura temblores, se afirma en la tristeza.

La paz nueva, la otra, la que es nuestro signo verdadero, conoce quiénes somos y nos hace mejores. Y algo que no es secreto: la paz nunca se disfraza de guerra y sólo a ella el corazón la acepta y la recibe con latidos, que son como un abrazo. Ya quedó constancia en el refranero: «La paz es la madre del pan».

57. Correo

Las cartas vienen en sobre de invierno o de primavera. Dicen cosas que uno imagina, piensa, construye. La frontera es el mar y ellas lo cruzan. Hay palabras con trazos de amor ido y otras con trazos de amor vuelto. En el correo la emoción viene fría pero es capaz de abrigarla.

Cada carta viene colmada de silencios, pero cada silencio es un coro de voces. Hay cartas que hacen mal porque arrastran tristeza, pero el dolor enseña desordenadamente. A veces traen un árbol, dibujado en un margen y yo lo reconozco como hogar de mis pájaros.

Las que no dicen nada son las de compromiso y ésas van al archivo o al olvido. También hay papelitos con dibujos de niño y uno llora sin lágrimas y restaura memorias. Hay cartas que uno guarda entre sábana y sábana y llenan el desvelo con su vida de lejos.

Hoy el cartero viejo pasó frente a mi puerta y no me dejó cartas ni tarjetas ni nada. Quizá por eso me propongo escribir una larga misiva, rememorando un rostro que tuve entre mis manos. Ella cruzará el mar y llegará a destino, o sea mi destino.

58. Piedad

Hay ocasiones en que la piedad nos toca porque la merecemos. Y otras en que damos piedad a otros porque la merecen. La piedad suele emitir cierto olor a miseria, pero cuando se nutre de amor, tiene un lindo aroma. Menos mal. Con la piedad se emiten pedacitos de verdad y argumentos de fierro.

Los propietarios de las religiones dicen que la piedad viene de arriba, pero suele quedarse en el camino, convertida en nubes inútiles, superfluas, innecesarias.

La única piedad que sirve es la que nace del corazón, con o sin lágrimas. Con la piedad no se juega; es rigurosa, estricta. Viene del pasado con cuentas pendientes y se vuelca en el mundo con síntomas de duelo.

Claro que lo piadoso es contagioso. Cuando acaricia ausencias lo hace con pudor. No tiene vergüenza de las maldiciones ajenas ni de las bendiciones propias.

La piedad suele cerrar los ojos pero no es ciega. Ve a través de los párpados y construye su juicio. Y cuando los levanta sabe dónde está, de dónde viene y adónde se dirige.

La piedad tiene algo de brújula, de aguja imantada, de bitácora. Sabe dónde está el norte pero no la conforma. Prefiere mirar al sur donde están los humildes.

La piedad es piedad, no hay que darle más vueltas. Sólo vale ejercerla, como una benigna, inocente profesión. No importa que no existan doctores en piedad; alcanza con los buenos aprendices.

59. Huellas

En las huellas de ida los pies se apoyan sin problema, pero en las de vuelta la cosa se complica. Las de ida trazan el camino de los que se fueron, por hambre, por miedo o por las dudas. Las de vuelta dibujan la senda de la nostalgia o del desconsuelo. Las de ida son más hondas, más profundas, resultado de muchas cavilaciones. Las de vuelta son más íntimas, besadas por descalzos, más biográficas.

En unas y otras el denominador común es la esperanza. En las de ida la esperanza son brazos y abrazos, todos de lejos. En las de vuelta la esperanza es que la memoria no haga trampas, que nos espere con los ojos de antes, los brazos de cerca, las calles de siempre, los árboles que no se derrumbaron.

Huellas y huellas, rastros y señales, vestigios y utopías. El mundo está allá y está aquí, los prójimos contiguos y remotos.

Las próximas huellas serán nuevas, fresquitas. A duras penas crearán otro camino y otra forma de ser y de pisar. Loado sea el futuro, si existe. ¿Existirá?

60. Música

¿Quién habrá inventado la música? ¿El viento? ¿El mar? ¿La lluvia? ¿Cuándo habrá nacido la armonía? ¿Qué habrá sonado primero? ¿El lenguaje de la brisa o el canto del ruiseñor?

Desde una a otra orilla y viceversa, la música cruza el puente y la recibimos con los brazos y oídos abiertos. A veces ella calma y a veces enardece. Acaricia a los niños y adormece a los viejos.

Cuando llueve es el canto de las nubes. La música es un arrabal del cielo y es el único paisaje que disfrutan los ciegos. Beethoven nos abriga y Mozart nos refresca.

Hay tonadas que enhebran los silencios y el silencio se convierte a la música. Los esclavos y los presos se renuevan en el canto y esa música es su única libertad. Con la música respiran y si algún guardia la prohíbe, igual cantan en silencio.

La música es un premio, un recurso, una victoria. Con alegría o congoja la música nos vive y nos revive. Cuando alguien nos dice que nos vayamos con la música a otra parte, sin vacilar nos vamos, dichosos de que nos siga acompañando la felicidad de sus sonidos.

61. Costumbres

La costumbre es la cualidad más simple y sencilla del ser humano y sin embargo no es igual para todos. Cada uno tiene su costumbre y vive con ella, ya sea en la gloria o en el desastre. Los generosos, y en especial los filántropos, tienen la costumbre de ayudar al prójimo. Los tiranos y los déspotas suelen tener la costumbre de torturar, invadir y asesinar.

Hay hábitos que se enfrentan con hábitos y de ese choque suele manar sangre. En ciertas regiones, «la costumbre» es el menstruo de las mujeres, pero a nadie se le ocurre llamar costumbre al orgasmo de los hombres.

Todos somos un poco esclavos de nuestras costumbres, porque ellas no nos sueltan, nos diseñan un carácter o adjudican un temple.

La costumbre de amar suele limar el amor, debilitarlo. Hay que amar al margen de cualquier costumbre, improvisadamente. El amor es más seguro cuando nos toma de sorpresa e incluso desorienta a la costumbre. Hay quienes cargan con la costumbre en la valija, pero ¡ay cuando la dejan olvidada en el aeropuerto o en la casa de la amante número dos!

La costumbre de los niños es burlarse de los padres y el hábito de los padres es burlarse de los abuelos. Después de todo, respirar es una buena costumbre y cuando uno la olvida queda en cero.

Casi todos los humanos tienen la triste costumbre de morir. Los que se salvan son los que resucitan (Cristo y otros muchachos), pero en los últimos tiempos no se usa ese recurso. Se llama Resurrección de la Carne a todos los muertos del Juicio Final. Loca costumbre, ¿no? Menos mal que queda varios kilómetros después del horizonte.

62. Perdones

En primer término debo confesar que soy un filatelista de los perdones: los voy detectando y los archivo. Claro que, por discreción, aquí sólo me referiré a unos pocos: digamos veinte veces en que perdoné y otras veinte en que fui perdonado.

Hay varias formas de perdón: la clemencia, la piedad, el indulto. No es lo mismo el perdón al marido adúltero que el perdón al verdugo, que en última arriesgada instancia decide no decapitar.

Cuando es uno el que perdona, debe sobreponerse a los reproches de la memoria, y cuando es uno el perdonado debe escuchar atentamente los latidos del alucinado corazón.

El perdón tiene a menudo ingredientes de estupor, porque no siempre sabe el perdonante que guardaba en sí mismo esa capacidad tan generosa.

El perdón es un puñado de sentimientos que a veces nos acaricia y otras veces nos acogota, susurrándonos un ultimátum: perdonar o morir. Con el perdón nos entendemos cuando el alma llora, pero sobre todo cuando deja de llorar.

En el perdón conviven la culpa y la disculpa, el sueño y el desvelo. Cuando el amor se aleja del perdón no hay más remedio que arrimarle una cama; con mujer incluida, por supuesto. Entonces el perdón es como un himno no destinado a una multitud embanderada y vestida sino a un cuerpo soberbio y desnudo.

El problema reside en que aunque nos pasemos toda una vida perdonando, la jodida muerte no nos tendrá clemencia. Y eso será así, aunque nuestras últimas palabras sean tan corteses como: «Perdón, señora».

63. Eco y espejo

El eco es espejismo y el espejo es un eco. También es un puente entre el olvido y la memoria. A veces cambia tanto que no lo reconocemos como nuestro. Nos atribuye barbaridades que curiosamente nunca dijimos, sólo las pensamos. ¿Será que el eco también recoge materiales en el cerebro distraído?

En ciertas ocasiones la voz rebota en los muros y allí deja el color propio, se vuelve un tedio gris. Si uno llega a sentirse esclavo de la tristeza, el eco llora y el espejo también. Y uno pone distancia con ese otro que mira e interroga.

El eco es después de todo una respuesta de la pobre alma, que aporta aromas y fatigas, cercanías y distancias. Con el eco uno se entiende más o menos porque está hecho de sumas propias y restas ajenas. Suele traer consigo una cosecha de vecindades, porque el eco se contagia de otros espejismos. Entonces se convierte en una autocrítica porque sólo en el eco percibimos nuestras fallas.

Cuando el espejo me saca del olvido, sobreviene la humillación. No por las arrugas de los años (a mi vanidad hace tiempo que la tengo jubilada) sino por cierta pobre tristeza que se asoma en mis ojos con lentes de contacto. Me vienen ganas de decir carajo, pero le temo un poco a las otras cosas que seguramente va a agregar el eco. Entonces me resigno a decir: Albricias. Y el espejo camandulero me sonríe.

64. Aleluya

Aleluya. El tiempo pasa y yo sigo viviendo, con los dolores y las ausencias de siempre pero sigo viviendo. Con la suerte y la muerte a la vista, con las golondrinas y los buitres, con el alma en pena y la cordura casi loca, con las cenizas del olvido y el pan duro de las promesas. Pero sigo viviendo.

Aleluya. En alguna rara ocasión mi soledad se llena de prójimas y mis brazos abrazan y abrasan. Mi memoria viaja de noche en noche; mis jardines, de amanecer en amanecer.

De todos los puentes cruzo el más frágil: el que une tu desolación con mi consuelo, y mi consuelo con tu desolación. Acaricio los pinos antes de que en el próximo vendaval besen el suelo.

Aleluya. Cuando encuentre la verdad aún estaré a tiempo para llevar a mi infancia conmigo y clavarla luego como un afiche en la pared de la cocina. Nos vamos para volver; volvemos para irnos de nuevo. El tiempo es un viaje de escalas infinitas donde aprendemos y enseñamos algo.

Aleluya. Piso tantos umbrales que los pies desnudos me arden. Desde esos umbrales imagino el infierno, pero de pronto recuerdo (aleluya x 2) que soy ateo, tanto de Dios como del diablo.

Vivir aquí, en los arrabales del universo, no está tan mal. Dos por tres vienen pájaros curiosos, con su experiencia del espacio, y acaban colgándose en un crepúsculo de árboles. Crecimos en un exilio de la esperanza, sin advertir que era un exilio de la nada.

Aleluya. La nada también puede ser todo y los otros también pueden ser nosotros. Si la tristeza nos empapa con su lluvia, digamos aleluya aleluya, primero despacito y luego en alarido, para que al fin nos encierren, así sea medio por azar, en las mazmorras de la alegría.

65. El acabose

Después del acabose, ¿qué vendrá? El supremo brillará por su ausencia. No habrá purgatorio ni paraíso; tampoco infierno, porque ése está en la tierra que pisamos.

¿Será un sótano, una nube oscura, un jardín con las flores marchitas? ¿Una tediosa llanura, sin horizonte a la vista, sin puntos cardinales, sin cenizas? ¿Una infancia sin juegos, una vejez sin canas?

Después del acabose, ¿habrá memoria o todo será un hueco sin sentido? ¿Qué quedará del vitalicio amor, de las penas que no cicatrizaron? ¿Encontraremos a los desaparecidos? ¿Móviles, inertes o fantasmas?

Después del acabose, ¿soñaremos? ¿El corazón encontrará el silencio? ¿Nos dará alcance la basura del odio? ¿O estaremos más allá del Más Allá?

Después del acabose, ¿nos quedaremos mudos o nuestra voz será un solo alarido? ¿Será una noche carbonera, sin luna, sin guitarras, sin pájaros, sin tiempo?

Después del acabose, ¿qué puede preocuparnos si todo será nada?

66. Señales

A medida que vivimos, las señales nos orientan, pero a medida que morimos nos desorientan. A veces las encontramos en el sueño, pero ésas no son de fiar. Más confiables son las que nos asaltan en el insomnio o las que nos aluden cuando nos detenemos frente a un río y hay una orilla que nos conmueve.

Si en las manos flacas aparecen arrugas, las convertimos en puños, por las dudas. Las señales más inexorables las da siempre el espejo, ese cretino, y no hay morisqueta que lo desanime.

Un pájaro puede ser una señal, también lo puede ser un cocodrilo. Todas son señales: la música, un trueno, el silencio, un viento huracanado, el canto de una alondra, la barahúnda de los niños.

Cada estación tiene su señal. El invierno, la inclemencia; la primavera, sus golondrinas; el verano, su bochorno; el otoño, la parsimonia.

El universo es un torrente de señales. Hay algunas que estallan y nos doblan de miedo, otras que acarician y nos desvanecen. Hasta la liturgia creó la señal de la cruz, claro que sin el permiso del pobre Cristo.

La señal es vestigio, cicatriz, inminencia, vértigo a la intemperie, fijación del instante. Hay señales de socorro, como el tan mentado SOS *(save our souls)* que por algo nace en el inglés imperial.

Las señales presagian y pobre de nosotros cuando nos señalan. Para vernos libres de señales, la única solución es el olvido, pero ¿quién se atreve a esa cirugía de la memoria?

67. Ah desaparecido

Vos te vas sin ser voz; te fuiste sin ser muerte; desapareciste sin reaparecer. Tu rostro está aquí: cómo nos mira y cómo lo miramos. Te fuiste sin decir adiós. Nadie te sabe, todos te añoran, van proclamándote, rememorándote.

Quedaste en tantas vidas que no descansan, que están en tu secreto, en su silencio. Sin alivio, porque te echan de menos, te conocen de más.

Ah desaparecido, ¿qué podemos hacer para encontrarte, para compadecer en tu agonía, si no sabemos cuándo te has ido, desvanecido, vuelto fantasma? Quizá por ese no saber nos vamos quedando sin melancolía, apenitas con un sol a oscuras, abandonado, con la memoria sin excusas, con el poder más impotente.

Ah desaparecido, ¿quiénes fueron los que sin dudarlo te borraron? Tu ida fue un crepúsculo interminable. La desaparición no es una muerte sino un vacío. Podés ser náufrago, despojo o hueso en tierra, también un pájaro que decide emigrar. Los que te encuentren, si te encuentran, te regarán con llanto, aunque haya lluvia.

Ah desaparecido, parecido, sido, ido. Nunca más te esfumes, por más que el tiempo pase, no vamos a perdonar lo imperdonable. Mientras tanto, confiemos en que cada uno de los desaparecedores reciba el castigo de su propia conciencia.

68. Fulgores

Faro es una torre que vigila, pero a veces es el brillo de tus ojos.

Cuando es torre, ilumina alrededores. Cuando es tu miradita, a veces nos incendia.

Si hay apagón, la torre es una antorcha, y si bajas los párpados, también hay apagón.

La luz es luz, donde quiera se encienda. El sol es otro faro; también faro es la luna.

El faro de tus ojos cuando amanece ansioso lanza dardos de amor, pero lo recupera, quizá para saber qué ensueños traen consigo.

El faro de la torre construye una memoria, que sobrevive a nubes y bombardas. Pero en el de tus ojos, si hay horas en que llora, en cada lágrima siempre algo nos alude y nos vemos culpables.

La gran torre encandila a pobres inexpertos. La de tus ojos fulge y a menudo nos ciega.

Torre y ojos son faros, uno y otros nos guían, vaya a saber por dónde y hacia dónde. No obstante, y pese a todo, odio los apagones. Más vale encandilarse antes que andar a oscuras.

69. Ser nadie

Cuando llegue el momento de ser nadie, el mundo seguirá y no lo veremos. Si antes vivíamos cegados por el sol ahora estaremos cegados por la sombra.

Cuando llegue el momento de ser nadie, la memoria habrá quedado encinta de ideas y preguntas que nunca nacerán. Nadie sabe si seremos ceniza o si nos mezclaremos con las cenizas de otros.

Arriba o abajo seguirá la vida o seguirá el quién sabe. Ya una vez fuimos nadie, hasta que empezamos a ser alguien en el semen del padre y en el vientre materno.

De la nada a la nada pasa una historia efímera, esa imitación del algo que se llama vida, un lapso en el que amamos, respiramos, creemos y descreemos, repartimos semillas en los surcos que esperan y asumimos proyectos a largo o a larguísimo plazo.

Lo cierto es que no somos dueños de este cuerpo, tan sólo lo alquilamos, hasta que llega el óbito y nos da desalojo. Y entonces ser nadie es bastante menos que ser poco.

Los que a sabiendas hieren y matan y torturan, se creen fieles lacayos de la muerte, pero esos imbéciles no saben que, desde tiempo inmemorial, la parquísima inmola a sus lacayos.

Cuando llegue el momento de ser nadie, es mejor disiparse con la conciencia sepulcral tranquila.

70. Horizonte

El horizonte es una meta inalcanzable. Como la alegría, como el dolor. Es el desafío para las utopías, la asunción de la irrealidad. No obstante, sin horizonte no habría mundo, ya que éste es después de todo una multiplicación de horizontes. Cada hombre, cada mujer y a veces cada niño, tiene un horizonte propio. Y también lo tiene cada sentimiento: el odio tiene un horizonte que es el fin de lo aborrecido, y el amor tiene otro que es la conquista del cuerpo y el alma del sujeto amado. Pero tanto el odio como el amor suelen llegar a su meta antes de alcanzar el horizonte. Tanto odiantes como amorosos quedan estupefactos ante la eterna lejanía del horizonte.

El único horizonte que por fin se alcanza es el de la muerte, pero quienes lo atraviesan nunca vuelven para contarnos lo que hay después. Con el horizonte no se juega. Se esconde en la noche sideral, pero no recordamos dónde estaba. Y cuando vuelve el alba, se burla de nosotros con su resurrección profana, inesperada.

Ni siquiera los pájaros lo atraviesan, por el comprensible miedo de perder sus alas. Hay quien sostiene que el horizonte es un bramante que va de Dios al Diablo y viceversa, y que por eso nada tiene que ver con las criaturas de este mundo.

71. Delirios

Es bueno de vez en cuando tener delirios. Vienen con su poquito de locura, de enajenación, pero no importa. En ciertas fases nos hacen perder el tino, quizá porque el tino suele ser tedioso.

Los delirios nos sacan del mundo cotidiano, nos arrojan en brazos de la desmemoria, y así, sin la menor prevención disfrutamos del olvido.

Por una vez (¡y qué excepción!) saltamos por encima de esa valla llamada horizonte y nos abrazamos con otros delirantes que nos inventan nombres y destinos.

Los delirantes pasamos al lado de la muerte y le hacemos un guiño. Nos movemos como si fuéramos eternos, sin tomar precauciones, más o menos sonámbulos, festejando los rayos y los truenos, y mirando a través de la lluvia.

Los delirios son premios, vida entre paréntesis, pero cuando el paréntesis se cierra y regresamos a lo cotidiano, a lo cabal, a lo de siempre, sentimos entre pecho y espalda una aguda nostalgia del delirio.

72. No voy a irme

No voy a irme así nomás. Tendrán que echarme sin motivo. Yo y mis talones en la tierra decimos no, que aguantaremos.

Pueden mandarme vendavales o filatelias del agravio: la colección de mis descuidos, de mis erratas, de mis queridos disparates, de mis tropiezos evitables, de mis inútiles extravagancias, de mis escándalos de ateo.

No voy a irme así nomás, por algo aquí me concibieron y fui nacido y caminé descalzo sin herirme, dialogando con el silencio y con el mar y con las nubes, con lluvia y sol tan incesantes y siempre con algún secreto, minúsculo o tremendo pero mío, como una forma de eludir cierta carcoma inevitable.

No voy a irme así nomás. Si soy superfluo o desolado, la trayectoria de mis culpas se va y regresa con lo aprendido, y yo la espero aquí en mi noche.

No voy a irme y si me voy, será para estudiar la nada.

73. Arte poética

Cada poeta va creando su arte poética, que en el fondo es la regla de no tener reglas. A veces es un pedacito de realidad, que llega con el color que ha podido rescatar de la calle, de la montaña o del río.

Otras veces es un archivo del pasado, que trae reminiscencias superadas pero no borradas definitivamente. Un arte poética es la vía crucis de las palabras y quizá por eso es dignificada por los sentimientos y los pájaros, y también por alguna de esas primorosas mujeres que vuelan en el sueño.

Cada vate lleva su arte poética en algún bolsillo de su penuria o de su gloria. Nadie piense que se trata de un padrón ambulante, pero sí que por ese espacio desfilan las envidias ajenas y las esperanzas propias.

El arte poética no es arte ni es poesía. Es simplemente una cadena de nociones, un rostro propio a descubrir y, en el mejor de los casos, a conquistar sin engañarnos.

74. Agujeros de la memoria

La memoria es un trozo del infinito. A veces se aúlla y a veces se encierra en el silencio. De un prójimo a otro la memoria varía: puede ser vibrante y lúcida, y también torpe e ignorante.

Casi nunca es compacta. Sus agujeros no le permiten aislarse, concentrarse. Por ellos penetran ciertas basuritas espirituales y también se expanden angustias que suben desde el alma.

De esos orificios depende en buena parte su comunicación con el mundo. La memoria es un archivo alucinante, colmado de hechos, palabras, rostros, amores, sorpresas, decepciones, aburrimientos, lealtades.

Como no los guardamos por orden alfabético, casi siempre nos cuesta bastante reencontrarnos con esas menudencias.

Los agujeros de la memoria normalmente son abiertos por el taladro del olvido. A veces nos angustiamos porque queremos recordar un nombre, una calle, un coito del pasado, una fecha clave, y no los alcanzamos porque el olvido los cubre con su programada amnesia.

El poeta Juan Gelman escribió hace años con su habitual sabiduría que «en la memoria hay palabras que no se pueden decir. Duran y hacen mal y bien, como un caballo loco».

Agreguemos, ahora de nuestra cosecha, que el caballo loco aprovecha los agujeros de la memoria para fugarse y a veces refugiarse en la guarida del infinito.

Nos pasamos la vida creando y perdiendo memoria. Como el pasado, a medida que pasan los años, crece en espacio, lo recordado también debería crecer. Sin embargo, gracias al trabajo tenaz del olvido, el pasado se va reduciendo y apenas nos deja unas pocas señales para que sepamos quiénes fuimos y también quiénes somos.

Los agujeros de nuestra memoria también nos permiten atisbar a otras memorias, que a su vez nos atisban desde sus propios agujeros.

Después de todo, el que sigue creciendo es el infinito y por eso no tiene fin.

75. Informe sobre el futuro

Cada uno es artífice de una porción de su propio futuro. Ah, pero sólo de una porción, que por otra parte no es la mayor, sino la mínima. El futuro mayor y también el menos controlable, es el colectivo, digamos el mundo venidero que se forma al margen de uno.

Hoy en día, el futuro del mundo viene con nuevas guerras, es decir más destrucción. ¿Qué peso, qué influencia pacífica, podemos ejercer, prójimo más prójimo, sobre los poderes que destruyen, sin piedad y sin freno?

La única esperanza reside en que, por debajo de cada poder, se vaya generando un sector crítico que crezca y se consolide hasta destruir al destructor. Pero ¿será posible? ¿Cómo acabar con las cataclísmicas fábricas de armamentos y los millonarios que las sustentan?

Tal como lo vemos hoy, el futuro es un piélago de deterioros, un borrador de catástrofes. Desde arriba llueven bombas que son presagios. El futuro siembra pánico y mientras tanto nos espera. Hay para todos una culminación lógica llamada muerte. Eso lo tenemos claro. Pero antes de que nos alcance ese final obligatorio, están las múltiples formas de morir. Morir de un síncope o de una hipertensión es después de todo un final benigno, casi un regalo, pero entregar la sangre en una puñalada o caer como bolos de un bombardeo, es un final maldito.

El pasado nos despidió con los brazos abiertos, pero el futuro nos recibe con garras sin perdón. Nacemos de un muy tangible vientre materno y acabamos en una hondonada misteriosa.

Adrede

1. Todo es adrede

De todos los tiempos, los viejos y los nuevos, quedan las virutas de la vida. A pesar de las tropas invasoras, de las religiones que bendicen las guerras, de los profesionales de la tortura, de los imperios del asco, de los amos del petróleo, del fanatismo con los misiles. A pesar de todo, van quedando las virutas de la vida. A ellas nos abrazamos y encomendamos, con ellas nutrimos nuestra endeble conciencia y alimentamos sueños y ensoñaciones.

Todo es adrede, bien lo sabemos. Desde el maleficio de las drogas hasta el desmantelamiento de la juventud. Todo está destinado a que no creamos en nosotros mismos y menos aún en el prójimo indefenso.

Nos obligan a vender por peniques el patrimonio virgen, y en el mercado de cambio compran sentimientos con promesas. Todo es adrede: los celos y el recelo, sospechas y codicias, odios en desmesura, el rencor y la pugna. La consigna es someternos, mentirnos el futuro, reconocernos nada.

Todo es adrede y por eso construyen ideologías/basura donde intentan moler las virutas de vida. De la vida. La nuestra. Ah, pero no podrán. También nosotros creamos nuestro adrede. Aposta lo gastamos. Y adrede ya sabemos cómo sobrevivir.

2. Sobre suicidios

En Uruguay hubo una época en que los medios de comunicación (radio, prensa, televisión) tenían prohibido informar sobre suicidios, salvo que éstos ocurrieran en el exterior.

Cuando yo terminé la primera versión de mi novela *Gracias por el fuego* (donde el protagonista, que en cierta instancia parecía dispuesto a eliminar al cretino de su padre, al final no se atreve y prefiere arrojarse desde un noveno piso) se la di a leer a Emir Rodríguez Monegal para que me diera su opinión. Él la leyó con toda parsimonia y sentido crítico y después de dos días me dijo que todo estaba bien menos el final. ¿Por qué? «Porque en este país nadie se suicida. O sea que tenés que cambiar el final.»

No lo cambié, claro, y dos meses después entregué el libro a la editorial, con suicidio y todo. A mediados de 1965 apareció la novela. Exactamente el día en que el libro entró en librerías, yo estaba cruzando la Plaza Independencia para ir a *La Mañana,* diario en que ejercía la crítica de teatro, cuando advertí que junto al edificio Ciudadela se había agolpado un montón de gente.

Me acerqué, de puro curioso, y así me enteré de que un individuo se había tirado desde un noveno piso. Quedé bastante impresionado, pero no bien llegué al diario le telefoneé a Emir para transmitirle la novedad. Durante unos minutos él guardó un candoroso silencio, y sólo entonces me atreví a agregar: «Te juro que yo no lo contraté».

3. Candor

A sus ocho años, Gabrielito, tenía a veces arranques sorpresivos. Era muy despierto, quizá demasiado.

Con el abuelo se llevaba bien, pero en una ocasión le preguntó:

—Abuelo, ¿vos siempre fuiste viejo?

—No, Gabriel. Yo hace mucho fui niño, como vos ahora.

—O sea que yo también seré viejo.

—Ojalá llegues a los 85 años, como yo.

—¿Y no puedo seguir siendo niño a edad tan avanzada?

—No, Gabriel. La infancia dura poco. Dentro de unos años ya te saldrá bigote.

—No quiero bigote.

—¿Por qué?

—Porque el bigote lastima a las muchachas cuando uno las besa.

—¿Y vos besás a tus compañeras en el cole?

—No, son demasiado inocentes. Prefiero besar a mis primas. Son tan pícaras que hasta me besan en la boca. Y me gusta.

—Ves mucha tele, ¿verdad?

—Sólo las películas prohibidas para niños. Las moralinas de adultos son insoportables.

—Ayer vino tu tío con Teresa, su nueva esposa. ¿Qué te pareció?

—Me gustó. Tenía las manos calentitas y me habló con palabras difíciles, como epílogo, destreza, fisgoneo. Cuando salieron, me fui derecho al diccionario.

—¿Sabías que ella es su tercera esposa?

—¿Ah sí? Y con las otras dos ¿qué hizo?, ¿las mató?

4. Desierto

Remigio quería dejar el mundo, pero la muerte no le gustaba como forma de abandono. Quería dejarlo, pero vivo y coleando. Estaba hastiado de la gente y de las cosas. Dos veces casado y dos veces viudo, sin hijos ni hermanos, contrajo la enfermiza obsesión de irse. ¿Adónde?

Un día, cierto pariente lejano que había venido por dos días, lo miró inquisidor y le dijo: «A vos te hace falta un desierto» y enseguida se fue, sin otro comentario. Para Remigio, aquel diagnóstico fue una revelación. Trabajó seis meses en oficios varios, sólo para reunir el dinero necesario para atravesar el mundo y llegar a un desierto (no tenía ninguno a mano).

Por fin llegó. Aquella soledad de arena le pareció una maravilla. Caminó y caminó durante veinte días y cuando ya le quedaba poca agua en la cantimplora, tuvo una visión: era un oasis. Le asaltó el temor de que fuera un espejismo. Pero no. Era un oasis de verdad.

Allí llegó y se instaló, casi feliz. Hizo dibujos en la arena intacta y se mojó varias veces la nuca. También se quitó las botas y se lavó los pies. Aquello era por fin la ansiada soledad. Pero no hay disfrute eterno. Una noche no pudo dormir y en el interminable insomnio asumió que ya no quería estar solo. Una fuerte nostalgia le subió del pecho y se le instaló en el cerebro casi vacío.

Pero ¿cómo volver al mundo? De pronto se percató de que había perdido la noción de los benditos puntos cardinales. Él había venido del Este, ¿pero dónde quedaba el Este? Durante dos meses estuvo solo, sin nadie en el mundo, pero una tarde apareció un camello.

El animal y el hombre se miraron a los ojos. Luego el camello se acercó y le lamió la calva. Remigio no tuvo más remedio que abrazarlo. Luego se trepó al rumiante, se sentó entre las dos gibas y le ordenó al animal que caminara. Pero el bicho se quedó quieto. Le gritó, le pegó con una bota, lo acarició, le rogó, pero nada. Sólo entonces comprendió que también el camello estaba aburrido del mundo.

Volvió al silencio, a medias resignado, dispuesto a esperar que algún día o alguna noche el camello también sintiera nostalgia y caminara. Regresó a sus arenas y noche a noche (vaya milagro) sus sueños lo instalaban en medio de una muchedumbre. Y sólo entonces Remigio y el camello suspiraban a dúo.

5. Últimas moradas

Isidoro Aguirre tenía por costumbre concurrir todos los meses al cementerio para depositar unas flores en la tumba de su abuela. La verdad es que había sido una vieja estupenda, que con sus sabios consejos le había salvado en varias ocasiones de cometer insalvables errores. Isidoro era declaradamente ateo, pero la conciencia (que era su única religión) le decía que debía cumplir con ese modesto homenaje. Y él lo cumplía.

Un domingo de noviembre (cielo despejado, brisa suave pero estimulante) fue como siempre a cumplir su rito. Dejó en la última morada de su abuela un lindo ramo de rosas y claveles, se detuvo un rato a evocar conmovedoras nostalgias, y luego, como la mañana era de extraordinaria bonanza, decidió recorrer las cuidadas sendas del camposanto. Siempre hallaba lápidas originales, y a veces, sintiéndose protegido por la soledad del ambiente, hasta tomaba fotos de algún túmulo o nicho que le parecían insólitos o fascinantes.

De pronto quedó pasmado. Frente a él había una tumba, cuya lápida rezaba algo increíble: «Al hijo de puta Asdrúbal Montesinos, con el desprecio de Toto». Todavía no se había recuperado de su asombro, cuando se percató de que un hombre correctamente trajeado se acercaba a aquel sepulcro y se plantaba allí. Duro e inmóvil.

Isidoro Aguirre tuvo un presentimiento y se atrevió a preguntar: «¿Usted es Toto?». «Claro que soy Toto.» «¿Y a qué se debe el odio que supone esa lápida?» «Supone que fue un hijo de puta, sólo eso.» «¿Y por qué?» «Muy sencillo. Sedujo a mi mujer, se la llevó al extranjero, a su vez le puso cuernos y ella murió de angustia.» «Y él ¿cómo murió?» «Yo lo maté.» «Disculpe mi curiosidad, pero ¿cómo está libre?» «Porque lo maté en el extranjero, exactamente en una toilette del aeropuerto de Barajas, y cinco minutos después me llamaron para mi vuelo a Buenos Aires. Dos años más tarde la familia repatrió sus restos, y aquí está, solito.» «¿Y por qué razón viene periódicamente aquí? ¿Le trae flores?» «No señor, cada vez que vengo le traigo basura.»

6. Zapping

Bueno bueno, llegó la hora de despedirnos hasta el próximo sábado, a la misma hora. ** ¿Quiere adelgazar ocho kilos en 29 semanas? ** La actriz JH fue fotografiada bailando con el actor PQ ** El conocido cantante gauchesco Wilhelm Geschäftsführer ofrecerá un único recital de vidalitas y chacareras en el renovado Teatro Solís ** ¿Quiere adelgazar ocho ki ** En predios deportivos se comenta que el jugador Viñales miró tiernamente a la esposa del jugador Fresnedo ** Cuando distinguen la famosa estatua de la Libertad, los soldados norteamericanos que regresan de Irak prorrumpen en sonoras carcajadas ** ¿Quiere adelgazar ocho k ** En el aeropuerto de Miami las autoridades de inmigración desnudan a las turistas mujeres y les estampan un sello violeta en la nalga izquierda ** En España, como medida contra el terrorismo, la pes-ETA se transformó en pes-EURO ** ¿Quiere adelgazar och ** El Sindicato de Gramáticos Insobornables expulsó a tres de sus miembros porque no tenían noticias del pretérito pluscuamperfecto ** Varias diputadas de distintos partidos proponen crear el Ministerio de la Menopausia ** Las faltas de ortografía serán pasibles de Impuesto al Patrimonio ** ¿Quiere adelga ** A pedido del público, el cantante gauchesco Wilhelm Geschäftsführer ofrecerá un segundo recital de chacareras, pero traducidas al alemán ** El presidente Bush nunca viaja a Los Ángeles porque es un demonio ** El Congreso Afroasiático de Oftalmólogos llegó a la conclusión de que en Occidente los tuertos tienen prohibido mirar de reojo ** ¿Quiere adel ** El teólogo Moisés Abrahmovich considera que se habla mucho del futuro de las profecías, pero nadie osa mencionar la extensa nómina de las que sucumbieron en el pasado ** El mismo teólogo cree que el mejor profeta fue Nostradamus ** En el Río de la Plata, las profecías más seguras figuran en los tangos de Gardel, por ejemplo en *Que siga el corso* ** ¿Quiere ad ** En Gran Bretaña la Casa Real decidió fabricar un divorciómetro ** Y ahora, para terminar, el anuncio del tiempo. Mañana lloverá a cántaros, así que probablemente va a estar húmedo.

7. Pena capital

Esto me lo contó Eustaquio, un tipo bastante extraño:

«Allá en mi lejana adolescencia, yo jugaba al fútbol. Arquero, golero, guardameta, *goalkeeper,* todo eso. Atajaba que era un lujo. Hasta que un día me tiraron un penal, la pelota me dio en pleno estómago y estuve desmayado como media hora. Cuando volví en mí, lo primero que hallé fue la mirada compungida del asesino (tarde piaste, ¿no?) que había ejecutado la pena. A veces los cronistas deportivos la llaman "pena máxima" o "pena capital", o sea una denominación que para los leguleyos es sinónimo de muerte. La verdad es que a mí me fusilaron.

»Aún ahora, 70 años después, cuando veo fútbol por televisión y el juez decreta la "pena máxima" en el trágico instante en que el homicida acomoda la pelota o la *ball* o el esférico, y veo al pobre arquero que se persigna con ojos de pánico, cierro los ojos pues si sigo mirando y veo la ejecución, me vuelve el antiguo dolor de estómago y tengo miedo de desmayarme. Porque (y que esto quede bien claro) juegue el equipo que juegue, yo siempre estoy de parte del golero y no del asesino.»

8. Solo

Me lo hizo saber un personaje, ya no sé de qué libro:

«Cuando el mundo me ignora, yo recurro a mi sombra. Los projimíos y los projituyos, los prójimos en fin, me buscan en su olvido, pero allí no me encuentran, porque estoy en mí mismo, en mi olvido de veras.

»Ya no sé ni mi nombre: ¿para qué?, ¿para quiénes? Cuando el mundo me ignora, yo a mi vez, a mi turno, también ignoro al mundo.

»La vida pasa afuera y el corazón me dice que yo paso en mi adentro y sólo así puedo juzgarme sin compasión malsana. Si me culpo o me absuelvo, sólo me importa a mí. La desmemoria va conmigo.

»Por suerte no hay espejo; hace ya muchos años que no lo necesito. Yo bien sé cómo soy.

»Qué desperdicio.»

9. La estatua

La estatua es una vida encadenada. Y ella piensa ¿por qué? Cuando era alma, hálito, energía, soplo vital, hizo lo que es posible en este mundo, vaya hazaña. No pude rescatar nada del pasado. Nada con sangre, menos aún con bocanadas de aire.

Esta inmovilidad ¿será un castigo? Sus manos se quedaron en un gesto que, desde el amanecer hasta el crepúsculo, apunta al Más Allá. Luego viene la noche y no hay estatua. A veces un poquito de luna la hace blanca.

Tal vez alguien quiso erigirla en la memoria, pero fue inútil: es olvido. Habrá turistas, claro, que la enfoquen con su flamante camarita digital, aun sin saber de qué se trata. La enfocan como lo hacen con el ombú gigante o con el chorro de la antigua fuente, tan descascarada.

Por supuesto es símbolo de algo, pero ¿de qué? La estatua es una forma estética de muerte, ¿quién lo duda? También experta en recibir lluvias, soles y granizo. Todavía es alguien que intenta decir: Soy. Pero no puede.

Está mirando al mar y el mar la mira. Su presencia es tan sólida que abruma. Todos guardamos una estatua en los ojos. Y a veces la escondemos tras los párpados.

10. Funerarias

Hace treinta o cuarenta años la gente, como siempre, vivía una temporada y después se moría. La familia generalmente sabía de alguna funeraria más o menos barata y, si no la recordaba, la buscaba en la guía de teléfonos.

Ahora no es lo mismo. Las funerarias han invadido con tremendo empuje el ámbito publicitario y hay tantos avisos (sobre todo en la radio) de pompas fúnebres como de cremas antiarrugas o neumáticos japoneses. Y si a uno le da por hacer zapping, posiblemente va a transitar de empresa mortuoria en empresa ídem.

¿A qué se deberá este cambio tan visible? Es posible que, gracias a los avances médicos y científicos, la gente viva más o sea que fallece más tarde y en consecuencia la demanda de féretros haya disminuido. Quizá por eso los ataúdes del presente son más elegantes, de un roble mejor labrado, tal vez creyendo que con ese despliegue a uno le vengan unas ganas incontenibles de ocuparlo.

Hay ciudadanos que cuando ven un ataúd salen corriendo y otros que llaman al escribano para que vaya preparando el testamento y otros más que lo llaman para saber cuánto les tocará cuando el candidato diga chau.

¿Quién iba a imaginar que la vieja muerte iba a cosechar tantos avisos como una computadora o un churrasco con papas fritas? En lo personal debo confesar que cuando la publicidad me muestra un féretro, mi pobre corazón cambia su clásico tictac por un duro toctoc. Por favor, llamen a Emergencias.

11. Diccionario

Cuando las palabras ingresan al diccionario las pobres están perdidas. Si la palabra está sola, al aire libre, se levanta en su significado, dice algo, lo sostiene. Pero cuando entra en el diccionario, la muchedumbre de significados la asfixia.

Por el diccionario circulan misteriosas acepciones, enunciados que nadie pronuncia. ¿Quién empleó alguna vez palabras como rongigata, enruna, cadañal, pruriginoso, liquidámbar, cachunde, zarapito, despavesadura, dubda? Sin embargo están allí invictas, solitarias, guardadas.

Imagino que el diccionario se ha de reír a carcajadas cuando nos apabulla con toda esa jerigonza y nos deja taciturnos, como si nos hablaran en esperanto.

En Argentina, Costa Rica, Cuba, Honduras, Uruguay y Venezuela, al diccionario lo llaman mataburros, quizá porque los burros son por ahora analfabetos. Sé que alguien proyectó hace un tiempo editar un diccionario con las palabras corrientes, las que todos usamos, pero resultó un volumen tan reducido que nadie lo quiso publicar.

12. Número

Así se llamaba una revista literaria que publicamos en Montevideo en el 51 o el 52.

Éramos seis, sólo quedamos dos, y no sé hasta cuándo. A tres del equipo la parca vieja los sacó de la troya y se fueron con su honestidad en la maleta. Otro se metió en otro rumbo, sin maleta y sin honestidad. Hicimos cosas; con acierto o con fallos, hicimos cosas. Ahí quedaron escritas, editadas, memorias más o menos, todas con un poquito de alma, intentando ayudar a respirar.

¿Quién fue cada uno, quiénes fuimos todos o casi todos? Poéticos o prosaicos, en el filo del día, de la noche, del año. Anduvimos estrictos, con cautela, por la vereda rota de aquel tiempo, metidos en los libros con los libres, en ceremonias colectivas que nos dejaron (y dejaron) algo.

Los ojos de uno eran reflejo de otros, y nadie se engañaba, cada uno en lo suyo. A veces la nostalgia se mete en mis insomnios y recorro las huellas, las de todos. Con honores y horrores, con idiomas de afuera y el lenguaje de adentro, cruzábamos las puertas y los puentes, mientras otros quedaban en la orilla sin nombre.

Éramos seis. Sólo quedamos dos, y no sé hasta cuándo.

13. Isla

Cada ser humano es una isla. En el mejor de los casos, pertenece a un archipiélago. Aun así, cada isla es distinta de las otras. Algunas son fértiles, pródigas, ubérrimas. Otras son áridas, magras, resecas.

Cada ser humano es una isla, donde sólo convive con su conciencia y en ocasiones con un lago quieto que le informa sobre qué rasgos asume su rostro de náufrago.

Cuando el ser humano se aburre de su soledad, entonces se comunica con otra u otras islas, a nado, o en balsa, en lanchas o en canoas. Y en la otra isla conoce a otros náufragos y también a otras náufragas, y a veces se enamora.

El amor une a las islas como una corriente. A veces dos islas copulan y nace un islote.

14. Más cenizas

El equívoco que atañe a las cenizas es creer que todas son iguales. Las cenizas de los asesinos no son iguales a las de sus víctimas. Las de los dictadores, cuando por fin se van, huelen a podrido. Las de los pobres diablos, los desvalidos, los expulsados del bienestar mínimo, tienen el aroma de la humildad.

Con las cenizas miserables juegan las cucarachas; con las inocentes, se limpian las palomas. Las cenizas existen para todos, menos para los ciegos, que pasan sobre ellas como si fueran césped.

La ceniza es el cansancio de la vida y por eso es la insignia de la muerte. Las cenizas nacen con el universo, porque son los epílogos de la vida.

De este lado del mundo y del otro, el pasado es ceniza. También lo será el futuro.

El diccionario habla de cenizas azules y cenizas verdes, pero fuera del diccionario todas se vuelven grises.

15. Odios y amores

Cuando el desamor va matando el amor, al menos hay un alma que se agrisa, un corazón que late con sordina y unos ojos que aprenden a llorar.

Se dice que el amor nació con el universo. Lo de Adán y Eva es sólo un cuentito para que los curas entretengan a los fieles. A los infieles, en cambio, les gusta imaginar, y de ahí que imaginen, por ejemplo, eso de que el amor nació con el universo. El lío vino después, cuando algunos amorosos se pasaron al odio y algunos religiosos (pontífices incluidos) santificaron las guerras.

Los pájaros se aman y nacen pajaritos. Los ángeles, en cambio, están más allá del amor y de las nubes. No se sabe si nacen o si mueren. Pero algunos existen. Por ejemplo, los generales tienen ángeles de la guarda, siempre de uniforme.

El amor en que intervienen tres es un problema y el humo que se eleva de esa hoguera se llama celos. Si es con cuatro personas es dos veces celos o sea recelo. Los maridos celosos suelen cumplir su vueltita de vigilancia y entonces los amantes se esconden entre las ramas, pero siempre hay un ratón que los delata.

A veces el amor y el odio se dan la mano, pero eso sólo ocurre en televisión.

El desamor es un amor caído, un viudo de la pasión y sólo se reincorpora cuando otro amor le miente que lo ama. Y cuando al fin queda de nuevo viudo de amor, se resigna a escribir un ensayo con el título: «Formas ancestrales del relajo y la melancolía».

16. Siempre o nunca

Hay quienes confunden la palabra *siempre* con la eternidad. Antes que nada conviene aclarar que la eternidad es un cuento chino. En cambio, *siempre* sí existe: es una permanencia o más bien una rebanada de tiempo. Si uno dice: «En invierno siempre me resfrío», ya le está poniendo un límite, porque su vigencia no alcanza, digamos, a la primavera. O sea que se trata de una permanencia con límites. Si un hombre y una mujer se casan, creen estar unidos para *siempre,* y se olvidan de que en el peor de los casos ese *siempre* puede concluir en un divorcio, y en el mejor puede durar hasta que uno de ambos estire la pata o acaben juntos en un accidente aéreo.

Ahora bien, *siempre* es antónimo de *nunca,* y ésta sí es una palabra definitiva: cuando cierra el portal no pasa nadie, ni siquiera un misil.

Hay quienes consideran al reloj como un símbolo de *siempre,* porque su aguja da vueltas y vueltas y pasa y repasa por el mismo número, por la misma hora, pero en uno de sus giros puede agotarse la pila o atracarse la cuerda, y el reloj se queda sin *siempre.* O sea que esa palabra puede ser una vida o también un soplo instantáneo.

«Siempre fue antaño mejor que hogaño» dice el refrán, pero los refranistas a menudo exageran. Aun así, cuando en la infancia decimos *siempre,* la palabra abarca kilómetros y alegre pompa, pero cuando, ya octogenarios, decimos *siempre,* nos basta con un bostezo y también una pompa, pero fúnebre.

Lo más prudente es habilitar dos bolsillos del chaleco: uno para guardar a *siempre* y otro para esconder a *nunca.*

17. Tempestades

La locura del tiempo se desató antenoche. Los árboles cayeron como bolos, pero no sobre una pista de juego sino, indiscriminadamente, sobre terrazas de los boyantes, buhardillas de los jubilados y chozas de los indigentes. Los pájaros asistieron con asombro y sin ganas de volar o de morirse, pero algunos pájaros murieron con las alas puestas. Por otra parte, la lluvia no era lluvia sino más bien diluvio, turbonada, casi un torrente. Las basuras, cuando salieron del pasmo, nadaban como rodaballos o como sardinas.

¿En qué planeta estamos? El viento, desaforado como nunca, nos pegaba en el rostro y nos afeitaba sin espuma y sin navaja. Ninguna llama, ningún humo, sobrevivía a esta derrota del instante.

Los cables cuentan que en Nueva Orleans la cosa fue peor, pero como allí son todos negros, el gobierno blanco tardó cuatro días en enterarse. Lástima que la terrible borrasca no se dedicó a la fábrica de armas y bombarderos, que ésos sí se la merecen.

Los creyentes están desorientados. No pueden creer que su amado Dios sea tan implacable. Pero lo cierto es que en este desastre Dios no corta ni pincha. Es simplemente la naturaleza la que, para vengarse de tanta agresión, arma el castigo, no dedicado a los pobres negros sino a los dueños del poder, esos que hace siglos guardaron la piedad en su caja fuerte.

Aquí abajo el mar comenta el hecho y el desecho con las olas que bailan divertidas. Las playas se resignan a quedarse sin arena. Nadie canta, nadie reza, en el mejor de los casos estornuda. Lo único que cabe esperar es que el vendaval, la inundación o el terremoto, se aburran de nosotros terrestres, los de aquí, los de allá, o los de acullá, y podamos recurrir a la calculadora para sumar las ruinas.

18. Ustedes

Ustedes, los mandarines de la tortura, los distribuidores del castigo, los que se cebaron en el prójimo indefenso, ¿cómo pueden soportarse en el insomnio, regocijarse en el cariño de su madre?

Lo más asqueroso de su cochina memoria es su imitación de vida. Casi todos dicen ser devotos. ¿Será que acaso creen que su dios es un desalmado, un feroz, un iracundo? Puede ser.

Ustedes, los que hieren, los que fusilan, los que arrojan cadáveres al mar, los que no pueden ni con su sombra, los que dejaron la conciencia en el desierto y el futuro en el pasado, ¿son tan cobardes como para colgarse en el pecho una medalla o abrazar a sus hijos sin el menor escrúpulo?

Por favor, miren hacia arriba, atraviesen las nubes, y luego déjense caer caer caer. El suelo los espera con la muerte, no la de todos sino una más roñosa.

19. Tragos

Un trago sirve para creer que la vida es sueño, o que el mundo se tambalea sin motivo. Sirve para imaginar que la realidad no nos humilla, precisamente en el momento en que la implacable nos está hundiendo. Sirve para envalentonarnos en los pasos previos al amor y en ciertos casos para ahuyentar al amor con el mal aliento.

El trago, cuando es medido, acaba con las penas menores, pero cuando es desmedido acaba con el hígado.

Puede ser tinto, caña, whisky, ron, vodka o cerveza. Cada bebida provoca alucinaciones o náuseas bien diferenciadas. Y por eso cada trago tiene su color, su dolor y su sabor. Y siempre ha sido más útil como aperitivo que como laxante.

Los viajes en barco marean tanto o más que los brebajes en tierra, pero barco + trago, así juntitos, son el abracadabra de los mares.

Confieso que hasta hace poco yo ignoraba todos estos menjunjes. Curiosamente, me los contó un abstemio.

20. Manos

Las manos sirven para tocar, para rezar, para estrujar y acariciar, para excitar y acogotar, para encender y para apagar. Hay quienes leen las manos (advierto que en ese tipo de lectura soy analfabeto) para anunciar el futuro. Las manos tienen un índice que señala y un meñique especialista en escarbar las orejas; falangetas y huesos metacarpianos, dedo anular para los anillos y puños para noquear o tirar la toalla.

Las manos tienen uñas para arañar y dedos para el piano, el violín, el arpa y la guitarra. Las manos son especialistas en el prólogo erótico; en los aledaños del ombligo y las masculinas en particular en los pezones. También en los epílogos sexuales para lo cual pueden elegir las zonas más propensas.

Hay manos para todo y manos para nada. Para el gatillo y para el sable. Hay algunas que provocan dolor: digamos las del dentista y las del cirujano. Pero está la mano santa de los curanderos, y los infelices a los que sorprenden con las manos en la masa.

Para los delincuentes las manos pueden ser sus cómplices, pero también su perdición; por algo incluyen las implacables huellas digitales.

Querido lector: cuando a usted le ordenen ¡manos arriba! no sea perezoso, levántelas sin tardanza. Sólo después pregunte para qué.

21. Ascensor

La muchacha y el hombre ingresaron en el ascensor en la Planta Baja. Ella marcó el 5º piso y él marcó el 7º. Pero de pronto sobrevino un apagón y el ascensor se detuvo, naturalmente a oscuras, entre el 2º y el 3º. Él dijo: «Caramba», y ella: «Qué miedo».

Permanecieron un rato en aquel lóbrego silencio, pero al fin el hombre dijo: «Al menos podríamos presentarnos. Mi nombre es Juan Eduardo». Y ella: «Soy Lucía».

Él decidió mover de a poco el brazo izquierdo, y así, a tientas, llegó a tocar algo que le pareció un hombro de la chica. Allí se quedó, esperanzado. Ella levantó una mano y la posó sobre aquel brazo intruso. «Tenés un lindo hombro —dijo él—, parece el de una estatua». Ella apenas balbuceó: «Tu mano me gusta, al menos es cálida».

Entonces, ya mejor orientado, el brazo masculino bajó hasta la cintura femenina. Ella tembló un poco, pero acabó consintiendo. En realidad, no tuvo tiempo de preguntar nada, porque él le cerró la boca con su boca. Lucía, un poco asombrada, sintió que aquel beso le gustaba y respondió con otro, éste de su cosecha.

Así se quedaron un buen rato en aquella tenebrosa intimidad. Él preguntó: «¿Sos soltera?». «Sí, ¿y vos?» «Viudo.» Inauguraron un abrazo inédito, y así permanecieron, disfrutando.

De pronto se acabó el apagón, pero el ascensor todavía quedó inmóvil. Ambos, ya con luz, se estudiaron los rostros y sobre todo las miradas. Hubo un mutuo visto bueno.

Él dijo: «No estuvo mal, ¿verdad?». Y ella: «Estuvo lindo». Él: «Me parece que el ascensor va a empezar a moverse. En Planta Baja marcaste el 5º. ¿Vas allí?». Y ella: «No, ahora voy al 7º».

Al final el ascensor arrancó y los llevó como lo haría un padrino.

22. Globalización

De un tiempo a esta parte, nuestro enemigo no tiene enemigos, y en consecuencia todo lo ve global, todo absoluto. Sus neuronas son espingardas; sus pensamientos son arcabuces; su corazón, unidad blindada.

Para sus malditos creadores la globalización significa la captura *ad infinitum* del poder omnímodo. Pero es también el sistema adicional de acabar con la humanidad. Tal vez sus gestores no advirtieron que la humanidad no sólo incluye a los seres comunes, a los intelectuales y a los menesterosos, sino también a los dueños del poder, a los fabricantes de misiles y a los empresarios de la muerte.

La globalización desprecia a todo lo no global, desde el desmesurado universo hasta el grillo minúsculo y sonoro. Es la agonía sin fin de la esperanza, el futuro inundado de malogros, el desperdicio de la soledad.

La globalización es un volcán sin nombre y su lava hirviente y derramada acaba con las faunas y las floras.

23. La tristeza

Melancolía más, melancolía menos, la tristeza puede ser un dolor invisible. Por lo general suspende toda esperanza y se instala en el alma con su colección de ausencias repentinas.

La tristeza no arrima soluciones, tampoco las acerca la alegría, pero la tristeza deja siempre más huellas. Lo más penoso es cuando uno ve la propia desdicha reflejada en los ojos del ser amado.

Melancolía más, melancolía menos, la tristeza se alimenta de los años, pero el pasado la confirma, la apuntala. El futuro en cambio la elabora, se apronta para recibirla y hacerla inolvidable.

Decirle adiós al buen amigo es una ruptura que lastima, pero decirle adiós al enemigo es todo un festival.

Los cómicos son especialistas en ocultar su tristeza. Los filósofos, en cambio, no pueden ocultarla, ya que es su razón de ser y de pensar. La historia no registra filósofos alegres, salvo los hipócritas, que también los hay en ese refinado gremio.

La sinceridad de la tristeza suele nutrirse del amor; la sinceridad del amor suele nutrirse de la alegría.

Hay osados investigadores que rescatan que cuando el hoy casi desconocido cosmólogo Belisario Orbigny estaba llegando a su fin, por primera vez sonrió y dijo entre balbuceos: «¡Viva la tristeza!».

24. Los pies

Siempre me atrajeron los pies del universo, quiero decir los pies desnudos que lo pisotean. Desde aquellos de imberbes que pisan como gotas hasta los purohueso de lastimoso ritmo.

No importan los motores y las ruedas: el mundo avanza a pasos, huella a huella. Con pasos del pasado se construyó la historia. Con pasos del exilio se formó la nostalgia.

Los pies más seductores son los de las muchachas, que caminan caminan hasta el mar del amor y entonces se humedecen con olas de ternura.

Los pies son racimos de pasos; las uñas de su pena van arañando el suelo, diciendo puede ser, luchando con el viento. Lo saben todo o casi, porque vienen de lejos y sus plantas moradas llegan verdes de plantas. Descansan en la sombra, se queman bajo el sol. Su fatiga no sabe si aguantarse o cambiar.

A tus pies, dijo el fiel ante el altar vacío. Hay pies que son arpones y otros pies que son alas.

Si los pies conocieran hasta dónde, hasta cuándo, tal vez transformarían la vieja pesadilla en una piesadilla.

25. Paisito

Cuando hablo de mi patria yo prefiero decir paisito. Decir, pensar y sentir. En la inmensidad del universo, la tierra donde nacimos es una menudencia, la expresión cifrada de lo pequeño, algo que se cuela en la geografía, y apenas hace buches con el mar.

En su poquito de presencia terrestre cabe pese a todo la sonrisa, abandonada entre los árboles y vigilada por la Vía Láctea.

Aquí se es feliz sin escándalo y desgraciado sin apuro. El paisito es un bocadillo entre dos gigantes. Nosotros, a lo sumo, somos la primaverita de lo hispano, una comarca casi adolescente. Los pájaros nos atraviesan en un soplo y se van a contar nuestra pequeñez en otros nidos. A veces nos creemos grandes porque tuvimos un Maracaná, pero ahora, de nuevo minúsculos, luchamos por salir de abajo. Pero no hay que quejarse. Parimos a Artigas y tal vez a Gardel, y no es poca cosa. Ni uno ni otro descenderán nunca a segunda división. Y como no nos atrevemos a gritar Hurra, digamos Hurrita.

26. Adiós

Durante los pocos o los muchos años de nuestra vida, nos vamos despidiendo de cosas y de nombres.

Por ejemplo:

Adiós a la inocencia, como le ocurre al niño.

Adiós al pudor, cavila el ex (o la ex) virgen.

Adiós a las apuestas, o sea chau martingala.

Adiós al hambre con un buen asado.

Adiós a las armas, escribió Hemingway.

Adiós a octubre, declaró noviembre.

Adiós a la palabra, pensó el mudo.

Adiós a los anillos, resolvió el manco.

Adiós a las aduanas, dijo el contrabandista. Adiós a los sueños, cuando canta el gallo.

Adiós a la anestesia, cuando vuelve el dolor. Adiós al viento, saluda la veleta.

Adiós a las amantes, dijo el recién casado.

Adiós a los profetas, si metieron la pata.

Adiós al silencio, cuando arranca la bulla.

Adiós al pobre emporio, cuando llega el imperio. Adiós a la memoria, cuando gana el olvido.

También adiós a Dios, como reza el ateo.

27. Mercado

Señores y señoras aprovechen nuestras ofertas: cosas nuevas y usadas, frescas y podridas, todo al mejor precio.

Aquí se venden frutas y verduras, pollos deshuesados, promesas incumplidas, lágrimas congeladas, espejos convexos, pisos flotantes, sonetos sin rima, dólares falsos, variedades de pánico, catálogos de olvidos, ropas informales, discursos inconclusos, membranas asfálticas, faltas de ortografía, plagas de langostas, dogmas encuadernados, plagios no denunciados, costillas de cerdo, llaves en almíbar, camisones usados, primus sin boquilla, saliva de cantantes, cepillos de colmillos, lujuria educativa, simulacros de incendio, celular estreñido, odas en joda, lentillas de contacto y tetillas sin tacto, motos descangayadas, refranes inventados, florilegios sin flores, astracanada inédita, mendigos campanudos, zapatos sin taco, pastillas para abortos, despertadores estridentes, novelas aburridas, guitarras sin cuerdas, borradores de pésames, guía de cementerios, antología de erratas, versos en esperanto.

¡Atrévanse, amigos! Por algo este mercado se llama La Pichincha.

28. Limosnas

Todos los seres humanos alguna vez han pedido limosna. En el amor, sin ir más lejos. Pero ya la habían pedido en la infancia, hasta que el abuelo les regalaba una sonrisa.

En las calles céntricas de las grandes ciudades siempre hay mujeres que piden limosna con un nene en sus brazos. La gente se conmueve y suelta unas monedas, pero lo más corriente es que el niño sea alquilado.

También los Imperios (ahora sólo queda uno) dan limosnas: en armas a sus aliados, y en desprecio a sus países esclavos.

Hasta las iglesias suelen sobrevivir gracias a las limosnas, no tanto de los humildes diezmos de la feligresía, sino especialmente de las millonarias donaciones de las grandes empresas y de los gobiernos que cuentan (y descuentan) con la gracia divina.

Recordemos que limosna en inglés es alms, en alemán almosen, en francés aumône. Todo parece girar alrededor del alma, ¿no? Y no está mal. En el amor, por ejemplo, las limosnas que dan los que aman de veras son pedacitos de alma, y el corazón limosnero las va coleccionando como un apasionado numismático.

Hace algún tiempo, si uno transitaba por una zona de mendicidad, era corriente oír el ruego: «Una limosnita, por amor de Dios». Pero dentro de poco, si hay alguien que se atreva a transitar por la zona de la especulación y el monopolio, será más probable que escuche otro tipo de ruego: « Una limosnita, por amor del Diablo».

29. Los dioses

Aquí y allá aparecen, nunca en el Más Allá. A veces cabalgan en uno de los palotes de la Cruz del Sur, bien cómodos porque carecen de testículos. Los dioses tienen fama de fantasmas, pero son meras alucinaciones. Siempre parecen estar presentes en el arranque de las guerras y en las cuentas millonarias de los bancos. Por algo reza el sabio refrán: «Dios y tu dinero son los amigos verdaderos».

Dios es invocado por los indígenas, los campesinos, los indigentes y en general por los desdichados, pero nunca acude a la cita. Los poderosos no necesitan invocarlo para someter y matar en nombre de Dios. No cabe duda: el Dios del Más Acá es ateo. Por si acaso los ateos terrestres lo han borrado de su agenda.

Hay dioses cristianos, budistas, islamistas, hinduistas, confucionistas, taoístas, judaístas. Pero cuando algún Dios se desnuda de sus trapos, sólo queda el aire.

30. El espanto

El espanto es un compañero incómodo: nunca se muestra a pleno sol sino en la oscuridad más desolada. Es entonces que sentimos sus manos en la desprevenida nuca y nos hacemos fuertes para no temblar.

El espanto brilla a veces en los ojos de un enemigo que no tiene párpados. Un viejo refrán dice que «el espantajo sólo dos días engaña a los pájaros: a los tres se cagan en él». Por supuesto que el espantajo se dedica a los pájaros, pero el espanto (sin ajo) se dedica a los humanos. Y cuando algún inocente se cree «curado de espanto», éste siempre aparece como una anticipación de desazones más tangibles.

El espanto toma a veces la forma de un despertador alucinante, que nos deja sin candor por tres o cuatro horas. Y ya se sabe que vivir sin candor es convertirse en blanco para todas las saetas.

El espanto siempre es un riesgo, pero el más peligroso es el que nace en la conciencia. Y de éste no nos veremos libres ni desmayándonos ni persignándonos.

Así y todo, es probable que el espanto sea el más importante recurso del poder (digamos, el del Imperio) y tal vez por eso ese duro poder es espantoso.

31. Sentencia

El 2 de diciembre del año 2005, fue ejecutado mediante inyección letal en la prisión de Raleigh, Carolina del Norte, Estados Unidos, el condenado a muerte número 1000, pero conviene aclarar que tal cifra sólo corresponde a los ejecutados desde 1976, año en que la Suprema Corte decidió que la pena de muerte no violaba la Constitución. Sin embargo, no se incluyen en semejante cifra los ejecutados antes de esa fecha, porque entonces alcanzarían a 3415. Cifra que incluso supera a China, donde hasta el 2004 habían sido ejecutados sólo 3400.

No sé cómo se arreglarán los chinos con su conciencia colectiva y si su peculiar PC incluirá la pena capital en sus manuales educativos, pero en Occidente el mismo día de la ejecución en Carolina del Norte el muy religioso presidente Bush declaró que «apoyaba firmemente la pena de muerte, porque en última instancia ayudaba a salvar vidas inocentes». Es probable que el implacable mandatario padezca de una hernia en su conciencia, pero ésos son males de nacimiento, quizás el pobre no tiene la culpa.

De todos modos, la cercanía de Dios no parece ser demasiado conveniente para el ser humano, ya que no sé de ningún ateo que defienda la pena de muerte como una panacea universal. Una cosa es llegar a la muerte en medio de luchas revolucionarias o para defenderse de las invasiones del Imperio, y otra muy distinta acabar con una vida humana en un recinto al que sólo tienen acceso periodistas y familiares. Y el verdugo, por supuesto.

Los cables informaron que las últimas palabras de Kenneth Boyd, el ejecutado en Carolina del Norte, fueron:

«Dios bendiga a todos los presentes». Tengo la impresión de que la frase tiene su sesgo irónico ya que por algo excluye de la supuesta bendición a los ausentes, que son unos cuantos millones, ¿no? Quizás el pícaro Boyd estaba convencido de que Dios no sólo es sordo sino que además es ateo y por eso lo desafió con esa postrera discriminación. Yo creo que cuando nos crearon (¿quién habrá sido?) nadie midió las tremendas consecuencias del invento.

32. Personajes

Uno lee y relee. Cuando lee mucho, suele olvidarse de los títulos pero no de los personajes. Éstos perduran más que la trama novelesca o el ritmo de los poemas. En ocasiones, el nombre del personaje no siempre queda en la memoria, pero en cambio su soplo vital sí penetra en el alma del lector.

Hay personajes literarios a los que uno propina un abrazo que se llena de adjetivos y también hay atractivas bocas femeninas de las que uno recibe un beso de papel.

Los personajes vibran, avanzan, se detienen, vuelan, se sumergen, se dejan elegir, y uno los acomoda en el archivo de las remembranzas. Algunos son como espejos y otros son como aliados o acusadores.

Hay personajes jubilosos y otros con un pozo de tristezas. Los hay tan melancólicos que nos contagian su melancolía; tan prometedores que los aplaudimos en los sueños. Tan santos que los miramos con escepticismo, y tan demoníacos que nos espantan el corazón.

Hay personajes ciegos que nos miran con las manos y otros delirantes que nos envenenan la costumbre. Hay personajes transparentes y otros irremediablemente opacos. Hay los que cavilan en verso y los que se lavan en la lluvia. Los que mendigan y los que derrochan.

Hay personajes viudos que lloran sin lágrimas y cuando terminan con su liturgia impresa, se evaden del papel y lo celebran con su cónyuge de carne y hueso, beaujolais mediante.

Finalmente hay personajes que casi casi somos nosotros. Y los queremos, a pesar de todo.

Cachivaches

Para Ariel Silva, buen cachivachero.

1

La más notoria virtud de la poesía es que no es prosa.

2

Cuando uno se lava la cabeza los pensamientos se purifican.

3

Si rememoro que cuando niño viajé en el último tranvía con trole, me siento casi centenario.

4

Hay papeles en blanco que se enamoran de una lapicera.

5

Para sacar provecho de la ruleta, hay que concurrir al casino con muy poca plata y salir corriendo cuando se gana.

6

El semáforo rojo es formidable, porque allí se frena el que me persigue.

7

«Salud y libertad» fue la contraseña de nuestro Artigas. En ciertos brindis de Hamburgo y de Bremen, yo la usé a veces en alemán («Gesundheit und Freiheit») y sonaba bien.

8

Nunca fui fumador, salvo en una ocasión, en Cuba. Habíamos ido a visitar una fábrica de habanos y a toda costa querían que yo me estrenara con uno de esos tremendos charutos.
Por fin accedí, y como buen inexperto, tragué el humo y por supuesto me desmayé. Estuve más de una hora inconsciente.
Cuando empecé a recuperar el sentido, pero todavía sin abrir los ojos, lo primero que oí fue el comentario preocupado de uno de los cubanos: «Parece que el compañero se nos murió».

9

Hay callos que son una zapatilla.

10

Los dolores de barriga son formas del desaliento.

11

En pleno horizonte, las ballenas exhiben sus desfiles de modelos.

12

Trabajé 15 años en una inmobiliaria y uno de los patrones me llevaba en ciertas ocasiones a su casa para que lo ayudara en algunas traducciones. Luego me devolvía en su auto a la oficina. Una vez, desde la rambla costanera, se metió en una calle que subía y me dijo: «Mira, muchacho, cómo la gente me conoce y me saluda». No tuve más remedio que decirle: «No, don Gastón, no lo saludan, sólo le hacen señas porque usted va a contramano».

13

Los médicos cubanos han curado tantas cataratas, que deberían ocuparse de las del Niágara.

14

Cuando tenemos sueño, los bostezos salen a pedir de boca.

15

Se dice que aquellos pontífices que bendecían cañones, padecían después insomnios evangélicos.

16

Lo consuetudinario es la forma más larga de la costumbre.

17

En el silencio caben todos los ruidos.

18

Los presos saben de memoria las arruguitas de la pared.

19

Las ventanas son los ojos del mundo y las cortinas son sus párpados.

20

Cuando un soneto se queja es porque le falla la rima de un cuarteto.

21

Los pordioseros piden por Dios y por Eros.

22

Desgraciadamente, la usura, al igual que las viejas iglesias, no tiene cura.

23

Cada vez que el oso ha menester de algo, se vuelve un menesteroso.

24

Cuando se ama con pasión, surge la compasión.

25

Si uno se mira en el río, ya no se encuentra en el lloro.

26

Lo contrario del aire es el desaire.

27

Cuando las elecciones políticas dan resultados muy parejos, deberían definirse por penales.

28

En los interrogatorios, hay que sacar del cajón las respuestas de cajón.

29

Hay cuerdas vocales, pero no hay cuerdas consonantes.

30

El gonfalón y el lábaro son banderas para exquisitos.

31

La gran ventaja de las estatuas es que no tienen hígado.

32

En tauromaquia, el toro es desgraciado como cualquier cornudo.

33

Cierto deporte llamado *rugby* es la escuela primaria del suicidio.

34

Las estrellas errantes no tienen brújula.

35

Mi economía es lo contrario de la econotuya.

36

En el lago de Constanza tuve otra experiencia lingüística. Yo estaba en Friedrichshafen, del lado alemán, y recordé que en la ciudad suiza de Constanza vivía una buena amiga uruguaya, casada y con un hijo, nacido allí, y que por supuesto hablaba alemán. Me decidí y en una confortable lancha pasé del lado alemán al lado suizo y allí busqué el domicilio de mi amiga. Toqué el timbre y vino a atenderme un niño de siete u ocho años que, en correcto alemán, me preguntó qué quería. Le respondí, también en alemán, que quería hablar con su mamá. Entonces el chico se metió en la casa y lo escuché llamar a gritos, en clarísimo español rioplatense: «Mami, aquí hay un hombre que pregunta por vos».

37

El calvario es el destino de los calvos.

38

En materia de drogas, si uno abusa del kif hace puf.

39

A los antropófagos no siempre les cae bien la comida.

40

No sé por qué, pero las azafatas tienen cara de avión.

41

En la civilización occidental, el eructo es una opinión desfavorable.

42

El mago Gardel y yo
somos de Tacuarembó.

43

Cuando un asesino se entrega y confiesa, sólo hay que creerle la mitad.

44

En el fútbol, si el puntero ejecuta un córner, el golero se pone bizco.

45

Cada vez que el campanil se une a la campana, nace una campanilla.

46

Si pasa una ambulancia sonando su sirena, a uno le duele el marcapasos.

47

Cuando los sobrevivientes de mi generación nos encontramos somos una enfermería.

48

Cuando uno acude al odontólogo, queda estupefacto, vale decir boquiabierto.

49

Las buenas axilas siempre añoran a su antisudoral.

50

Es sabido que muchos gallegos, para escapar de la guerra civil, huyeron a países de América Latina, entre otros a Uruguay, donde fueron bien recibidos y formaron familia. Luego la situación se invirtió. En nuestro país hubo dictadura y en España volvió la paz.
Tengo un recuerdo muy particular de La Coruña. Una tarde entré en una cafetería, por supuesto de gallegos, y para mi sorpresa vi que allí estaban colgadas banderas de Nacional y Peñarol y además tenían un buen aparato de radio para escuchar noticias de nuestro país. Evidentemente, se habían llevado a su Galicia un buen trozo de nuestro Uruguay. Lindo puente sobre el Atlántico, ¿no?

51

En los perdones, siempre hay una pizca de hipocresía.

52

A la gente demasiado desenvuelta, de vez en cuando conviene envolverla.

53

Los ascomicetos son los hongos más refinados.

54

En ciertas zonas de Italia existe (o al menos existía hace un siglo) la costumbre de adjudicarle muchos nombres a cada niño. Mencionaré un caso que me es cercano. Mi padre, que fue químico y enólogo, y era hijo de italianos se llamaba nada menos que: Brenno Mario Edmundo Renato Nazareno Rafael Armando. Muy joven aún, emigró a Uruguay y aquí trabajó con dedicación y esmero. Hay quienes cuentan que los amigos uruguayos, burlándose de sus siete nombres, lo llamaban: Brenno Etcétera.

55

El hormigón no es una hormiga gigante.

56

El signo ortográfico de la corrupción es el punto y coima.

57

La gente de Rocha no derrocha.

58

Al cachalote le gusta el chocolate.

59

Cuando se acaba el concierto, yo me desconcierto.

60

Las ubres de las señoras se llaman tetas.

61

Con motivo del célebre Diluvio, se crearon el Arca de Noé y el paraguas.

62

Aquel astuto sacerdote, cuando decidió jubilarse, escribió una obra en tres volúmenes con los incontables pecados que desfilaron por su confesionario.

63

No hay papel secante para los cagatintas.

64

El ginecólogo suspiró al fin de su jornada: «Estoy harto de tanto parto».

65

En la naturaleza hay paisajes tan hermosos, que uno corre a comprarles un marco.

66

El carnaval es el despliegue de la engañapichanga.

67

¿Por qué será que el Año Nuevo está cada vez más viejo?

68

La vocación suele estar a pocos centímetros de la equivocación.

69

No conviene emitir un juicio cuando se está en off-side.

70

Lo expulsaron de la plaza, o sea que es un desplazado.

71

Cuando se comen cacahuetes, no se usan servilletas sino papel higiénico.

72

Según Adán, Eva era muy evasiva.

73

Cuando el calor es bochornoso, la mejilla se convierte en moflete.

74

En la cabeza tenemos dos sienes. Sien más sien suman doscientos.

75

Kali, Abrimán, Hades y Caronte han sido desde siempre seres malignos. Últimamente se incorporó Bush.

76

Hay sastres que son un desastre.

77

El mamarracho y la paparrucha no son una buena pareja.

78

Los ascensores suben al décimo piso y luego vuelven a planta baja, pero nadie los llama descensores.

79

Lo más estimulante de la burocracia es el final del horario.

80

El matagatos también puede matar ratas.

81

Cuando pienso en el abismo, me mareo.

82

Hay dos clases de tímpanos: el del arco arquitectónico y el de tu orejita.

83

El proxeneta es, después de todo, un empresario de porquería.

Índice

VIVIR

ADREDE

Vivir adrede
se terminó de imprimir en marzo de 2008,
en Mhegacrox, Sur 113-9,2149, col. Juventino
Rosas, C.P. 08700, México, D.F.

EL PORVENIR DE MI PASADO
Mario Benedetti

«En un platillo de la balanza coloco mis odios; en el otro, mis amores. Y he llegado a la conclusión de que las cicatrices enseñan; las caricias, también.»

Tengan cuidado, en las páginas de este libro habitan inquietos fantasmas, se disparan revólveres y sueñan los sueños. Y, ante todo, viven mujeres y hombres que, como una vela temblorosa, oscilan entre la luz y la sombra. Benedetti no ha escrito un libro de relatos, sino una obra completa, cuyo argumento no es otro que la vida.

El porvenir de mi pasado es un libro para todos los lectores. Porque todos guardamos secretos, porque todos hemos sido niños y seremos viejos, porque todos dudamos de la realidad de los sueños, porque todos escondemos nuestros pensamientos más oscuros.

Mario Benedetti es un escritor claro, diáfano, por eso sus cuentos iluminan nuestros sentimientos, sin intermediarios.

GEOGRAFÍAS
Mario Benedetti

El país de la nostalgia a diario se restaura o se deforma
en la imaginación.

Las búsquedas poéticas y los recursos narrativos aparecen con frecuencia entrelazados en las obras de Mario Benedetti. En *Geografías,* libro íntegramente redactado durante su exilio español, el autor reúne catorce cuentos y otros tantos poemas, agrupados en dúos afines, colocando cada uno de esos pares bajo el resguardo de un membrete geográfico.

Pocas veces se ha conseguido como en este libro recrear con tanta ternura, con tanto sentido del humor y tanta penetración un universo cotidiano a menudo traspasado por las lanzadas del sufrimiento.

DESPISTES Y FRANQUEZAS
Mario Benedetti

Un libro que constituye una suerte de conversación privada entre el autor y sus lectores de siempre.

En él se reúnen relatos, poemas, graffitis, viñetas varias sobre esos aspectos de la realidad que siempre han cautivado a Mario Benedetti y que han hecho de él uno de los escritores más leídos y admirados de las letras hispánicas.

Despistes y franquezas es, así, el complemento indispensable para todo conocedor de la obra del autor de *La tregua* y el comienzo ideal para quien quiera adentrarse en su escritura y en su visión del mundo.

Crítica, ternura, denuncia, pasión, amor e Historia aparecen en sus páginas como esas claves que muestran a un escritor en la pura verdad de su universo propio.

Alfaguara es un sello editorial del Grupo Santillana

www.alfaguara.com

Argentina
Avda. Leandro N. Alem, 720
C 1001 AAP Buenos Aires
Tel. (54 114) 119 50 00
Fax (54 114) 912 74 40

Bolivia
Avda. Arce, 2333
La Paz
Tel. (591 2) 44 11 22
Fax (591 2) 44 22 08

Chile
Dr. Aníbal Ariztía, 1444
Providencia
Santiago de Chile
Tel. (56 2) 384 30 00
Fax (56 2) 384 30 60

Colombia
Calle 80, 10-23
Bogotá
Tel. (57 1) 635 12 00
Fax (57 1) 236 93 82

Costa Rica
La Uruca
Del Edificio de Aviación Civil 200 m al Oeste
San José de Costa Rica
Tel. (506) 220 42 42 y 220 47 70
Fax (506) 220 13 20

Ecuador
Avda. Eloy Alfaro, 33-3470 y Avda. 6 de Diciembre
Quito
Tel. (593 2) 244 66 56 y 244 21 54
Fax (593 2) 244 87 91

El Salvador
Siemens, 51
Zona Industrial Santa Elena
Antiguo Cuscatlan - La Libertad
Tel. (503) 2 505 89 y 2 289 89 20
Fax (503) 2 278 60 66

España
Torrelaguna, 60
28043 Madrid
Tel. (34 91) 744 90 60
Fax (34 91) 744 92 24

Estados Unidos
2105 N.W. 86th Avenue
Doral, F.L. 33122
Tel. (1 305) 591 95 22 y 591 22 32
Fax (1 305) 591 91 45

Guatemala
7ª Avda. 11-11
Zona 9
Guatemala C.A.
Tel. (502) 24 29 43 00
Fax (502) 24 29 43 43

Honduras
Colonia Tepeyac Contigua a Banco Cuscatlan
Boulevard Juan Pablo, frente al Templo
Adventista 7º Día, Casa 1626
Tegucigalpa
Tel. (504) 239 98 84

México
Avda. Universidad, 767
Colonia del Valle
03100 México D.F.
Tel. (52 5) 554 20 75 30
Fax (52 5) 556 01 10 67

Panamá
Avda. Juan Pablo II, nº15. Apartado Postal
863199, zona 7. Urbanización Industrial
La Locería - Ciudad de Panamá
Tel. (507) 260 09 45

Paraguay
Avda. Venezuela, 276,
entre Mariscal López y España
Asunción
Tel./fax (595 21) 213 294 y 214 983

Perú
Avda. Primavera 2160
Surco
Lima 33
Tel. (51 1) 313 4000
Fax (51 1) 313 4001

Puerto Rico
Avda. Roosevelt, 1506
Guaynabo 00968
Puerto Rico
Tel. (1 787) 781 98 00
Fax (1 787) 782 61 49

República Dominicana
Juan Sánchez Ramírez, 9
Gazcue
Santo Domingo R.D.
Tel. (1809) 682 13 82 y 221 08 70
Fax (1809) 689 10 22

Uruguay
Constitución, 1889
11800 Montevideo
Tel. (598 2) 402 73 42 y 402 72 71
Fax (598 2) 401 51 86

Venezuela
Avda. Rómulo Gallegos
Edificio Zulia, 1º - Sector Monte Cristo
Boleita Norte
Caracas
Tel. (58 212) 235 30 33
Fax (58 212) 239 10 51